集英社文庫

痛快！経済学

中谷　巌

CONTENTS

痛快！経済学

目次

ようこそ「経済学の世界」へ！

日本経済は数十年ぶりの大不況を経験しています。大幅なマイナス成長で企業倒産が増え、失業率も統計をとりはじめて以降、最悪の状況にあります。

昭和の初め、「大学は出たけれど」という言葉が流行しました。大学を出ても就職先が見つからない。そんな事態が平成の世でも日常化してきたのです。

「いったい、何でこんなひどいことになったのか？」「これから自分はどうすればよいのか？」「21世紀の日本社会はどうなるんだろう？」と思い悩んでいる読者は多いのではないでしょうか。

私はそんな読者を思い描きながら、『痛快！経済学』を書きました。経済が順調なときは経済学なんてあまり必要がないのかもしれません。しかし、世界が混迷を深める今は、経済を知っているのと知らないのとでは大変な差が出るだろうと思います。

普通、「経済学はむずかしい」と考えられています。たしかに、経済学者の言うことはむずかしいし、日本経済新聞の記事もわかりづらい。それ以上に、経済学の教科書はたいてい２、３ページ読んだら眠くなるという具合です。

そこで、『痛快！ 経済学』は、専門家にしかわからない話や数式などはできるだけ排除し、身近な実例をふんだんにあげて、誰でも経済の仕組みが楽しみながら身につくように工夫しました。

たとえば、「マーケット」の背後にある深い意味、バブル発生の本当の理由、金融不安と日本経済の将来性、金融ビッグバン、21世紀における職業選択への考え方、ビル・ゲイツが大金持ちになれた理由、「大競争時代」に生き残る方法、といった誰でも知りたいと思っていることを、経済学の論理を使いながら、しかし、中学生以上の学力のある人なら誰にでもわかるように説明したつもりです。ただし、平易には書いていますが、論理の水準は決して低くしないように心がけました。

いずれにしても、『痛快！ 経済学』は、経済のことがよくわからないと感じている人、経済の仕組みやマーケットの本質をもっとよく理解したいと考えている人すべてを対象に書かれた入門書です。

たとえば、中学生や高校生には、自分のこれからの生き方、進路を決める上でぜひ参考にしてもらいたいと思います。個人は社会とのかかわりなしには生きていけません。だから、経済の仕組み、自分と社会とのかかわり、世の中がどのように動いているのか、といったことがわからないと、逆に、自分自身のことがわからなくなるし、まして、自分自身の将来を思い描くことはできないということになってしまいます。

経済学部の大学生なら、専門分野に進む前の１、２年生の間に本書を読めば、経済学という学問に本当の意味での興味をもてるようになるでしょう。

経済学部以外の大学生や、経済の基礎知識をこの際、しっかりと身につけたいという社会人もぜひ本書をひもといてほしいと思います。本書を通読すれば、「経済はむずかしくてよくわからない」という劣等感は、まずまちがいなく消えるだろうと確信します。

本書はやさしく、楽しく書いてありますが、経済学的なものの見方、考え方については体系立った知識が頭に入るように、「妥協しないで」書くように努めました。どんなやさしい本でも、最後まで読むにはそれなりの努力がいるものです。しかし、本書を最後まで読むことができれば、「経済学的なものの考え方」が頭のなかに刻み込まれ、経済音痴から脱却できると思います。

日本はバブル崩壊によって信じられないほどの大きな被害を受けました。日本の政治経済システムは、もたれ合いや談合、官僚の汚職、大手銀行の倒産などでガタガタになってしまいました。また、グローバルエコノミーが進展するなかで、日本経済に対する国際的信用も残念ながら大きく落ち込んでしまいました。

もちろん、このままでよいわけがありません。私たちは立ち上がって、21世紀の日本社会をもう一度立て直さなければならないのです。

こういう時代だからこそ、読者、とくに若い読者が、本書によって日本経済のあるべき将来像に思いを馳《は》せたり、自らの生き方を構想したりするようになるなら、筆者としてこれ以上の喜びはありません。

中谷　巌

●文中アンダーラインの語注は、巻末にまとめてあります。

第1章

経済学なしに私たちは生きていけない。

私たちの欲望は無限ですが、
現実には欲しいもののうち、
一部分しか手に入りません。
そこで、限りある経済資源を使って、
人間の生活をどうやって豊かにすることができるのかを考えることが、
経済学の大目標です。

欲望は無限だけれど、経済資源は有限だ！

私たちは欲望のかたまりです。そして、欲望は膨張《ぼうちょう》をつづける宇宙のように限りがありません。

こんな話を想像してみましょう。ある中学生がお父さんやお母さんから毎月もらうお小遣《こづか》いが、今までの2000円から一気に20万円になったらどうするでしょうか？　彼の欲望はとどまるところを知らず、前から欲しいと思っていたものを全部手に入れようと、お小遣いを持ってお店に飛んでいくにちがいありません。

都会に住んでいれば、20～30分ぐらいの時間をかければたいていのものは手に入ります。もし、ファミコンのゲームソフトが欲しければ、ゲームショップに行けばいいし、その攻略本が欲しいなら、本屋さんに置いてあるでしょう。おなかがすいたら、ハンバーガーショップでたらふく食べられるし、ヘアスタイルが気に食わなければ、美容室に行きさえすればお気に入りのスタイルにしてもらえます。

しかし、地球上の子供たちが全員、20万円もお小遣いをもらって、好きなものを買うとしましょう。そんなことは可能でしょうか。

欲望が無限にあるのは、じつは大人だって同じです。大人も買いたいものを何でも買うとしたらどうでしょうか。でも、そんなことはしようと思ってもできっこない話なのです。なぜかというと、地球上に存在する全工場をフル稼働しても、無限にたくさんのものをつくることはできません。人間の技術はまだそこまで進んではいません。

労働者の数だって限られています。機械設備も限られています。農産物をつくるにも、農地には限りがあります。みんなが大きな家に住みたくても住めないのは、土地が足りないというだけでなく、そんなことをすればたちまち、地球上の森林から木が切り出されて、あっという間に地球は丸裸になってしまうからです。

つまり、最も大事なことは、私たちの欲望は無限だけれど、工場や機械設備、労働力、森林、農地、住宅地、石油など、商品を生産するための経済資源は有限だということです。経済資源が有限だから、私たちの欲望のうち、つまり欲しいもののうち、一部分しか手に入らないのです。別の言い方をすると、経済資源が有限なので生産されるものも有限ということになります。だから、私たちの手に入る「所得」も有限。すなわち、商品を買うための予算も有限ということになります。

このことを説明するのに、経済学は「稀少性」（scarcity）という言葉を使います。「稀少性」とは、人間の欲望をすべて満足させるだけの経済資源は地球上には存在しないという厳しい現実を示すじつに簡潔な言葉です。

稀少な経済資源を使って、人間の生活をどうやって豊かにすることができるのか。このことこそ、経済学の最も大きな目標です。『痛快！経済学』にアタックを始めるにあたって、まず「稀少性」という言葉の意味をみなさんにしっかりと理解しておいて欲しいのです。

欲しいものが何でも
手に入るマジック

もうちょっと、詳しく話しましょう。中学生がもらうお小遣いは20万円でなくて、やっぱり2000円だったとします。そのお金で買えるものは20万円に比べるとわずかです。お小遣いが少なければ少ないほど、その中学生は何を買うべきか、一生懸命に考えるはずです。本当に欲しいものは何かということを。そして、そういうふうに考えるのは世界中の子供たちも同様です。大事なのは、限られた予算の枠の中で、どうすれば自分の満足を最も大きくするような買い物ができるかという判断ですね。

商品をつくる側（会社）からいえば、限られた経済資源を使って、いかにみんなが欲しいと考えるものを安く供給できるかということなのです。自動車が欲しいという消費者に対して、「1億円ならつくってあげます」と企業が生産を申し出ても、意味がないですね。高すぎて誰も買えないからです。しかし、技術が進んで、今では1台100万円くらいでりっぱな車が生産できるようになりました。競争の結果、効率的に安くつくれる仕組みができあがったのです。

あるいは、誰も欲しがらないものをつくってみても、これまた意味がありません。みんなが欲しがるものをできる限り安く、また、できるだけ高品質になるようにつくらなければなりません。誰も欲しがらないものをつくれば、貴重な経済資源をむだに使ってしまったことになります。どうすれば、企業はみんなが欲しがるものをつくり、みんなが欲しがらないものはつくらなくなるのでしょうか。

この点は大変重要なので繰り返します。経済学とは、労働力、資本、土地、農地、森林、水、石油、鉄鉱石やシリコンなどの限られた経済資源を使って、何を（what?）、どのようにして（how?）、誰のために（for whom?）、いつ（when?）つくるのか、ということを考え、答えを出す学問です。これがうまくいかないと、私たちがせっかく欲しいと思って買いにいった店で、お目あての品物がないということになってしまいます。

逆に、誰も欲しがらないものばかりが店に並んでいるということも起こります。みんなが欲しいと思うものを、最も安くできる方法で、それぞれの人の好みに合わせて、しかもタイミングよくつくるにはどうすればよいのでしょうか。

お金さえあれば、何でも買えるということに慣れてしまっている私たちは、こんなことを考えたこともないというのが正直なところでしょう。しかし、よく考えてみると、欲しいものがすぐ手に入るということは、本当にマジックそのものではありませんか？

なぜって、世の中には何万、何百万という商品があふれているのです。

そして、私たちが欲しいと考える商品は、たいていの場合、そのなかにあるのですから、これは驚き以外の何ものでもありません。このマジックの種あかしをするのが『痛快！経済学』の目的のひとつなんです。

かつて社会主義国ではしばしば、みんなが欲しいものはないのに、みんなが欲しがらないものがたくさん店に並んでいる、欲しいものを手に入れようと思ったら、長い行列のいちばん後ろに並ばなければならない、といったことがよくありました。なぜ、そうなってしまったのかという点については、第３章で詳しく説明しましょう。

しかし、日本では幸いなことにこのようなことはあまりありませんね。買いたいものはだいたい何でもすぐ手に入りますね。もっとも、発売直後のゲームソフトなどは例外で、徹夜で並ばなければ手に入らないことは時々ありますが……。しかし、その場合でも、会社がすぐに増産しますので、やがて簡単に手に入るようになるのが普通です。

マジックの種あかしをしますと、その答えはマーケットの活用に求められます。マーケットの働きについては、以後の各章でじっくりと説明していきますが、「稀少性」という制約のなかで、私たちの欲望を満たし、私たちの生活を豊かにする仕組みとしてのマーケットこそ、歴史を通じて人類が発明した最大の財産のひとつなのです。

昔とちがって、市場経済が発達した現代社会では、人間は有限な資源をうまく利用して、人々の欲望を満足させる方法を考え出しました。自給自足の時代からだんだんと知恵をしぼって、そういうシステムをつくってきました。このシステムができたからこそ、魔法の玉手箱のような、何でもすぐに手に入る便利きわまりない現代社会が出現することになったのです。

もし、このようなシステムがうまくいかないと、人が餓死してしまったり、欲しいものがなかなか手に入らない、とてつもなく貧しい生活を強いられたりします。繰り返しになりますが、経済学とは、限りある資源を効率的に活用することによって、限りのない欲望をできる限り満たしてやるための知恵なのです。

何かを選べば、
何かが犠牲になる

経済学は私たちの生活を豊かにしてくれる知恵ですが、その知恵を頭のよい人たちだけがうまく利用して経済を動かしているんだと思っている読者は多いのではありませんか？

それは錯覚というものです。じつのところ、私たちは意識しようがしまいが、毎日、時々刻々、重要な経済活動をして

いるのです。この世に生まれてきた以上、生きていることそのものが経済活動だということを説明しましょう。

お父さんあるいはお母さん、お姉さんが会社でがんばって働いたすえに、やっともらえた給料。そのなかから毎月子供たちに与えられるお小遣い。何十万円も与えられることはまずないでしょう。私たちの欲望は限りないのですが、お小遣いの額には限度があります。

毎月2000円のお小遣いをもらっているとして、どうしても「ファイナルファンタジー」が欲しいという子がここにいます。それも中古ソフトでなく、新品が欲しい。でも、このお小遣いの額では買えません。このとき、とる方法はいろいろと考えられます。

まずはあきらめてしまって、それ以外に欲しいと思っていたアイスクリームを買ってきて食べたのはA君。B君は新品をあきらめ、2000円で買える古いバージョンのファイナルファンタジーを探しにいきました。もうひとりのC子さんは、貯金をすることにしました。3カ月ほどほかのものを買わないでがまんしていれば、ついに「ファイナルファンタジー」の新品を買えるはずです。

A君、B君、C子さんそれぞれが自分で決めた方法で行動するわけです。そしていずれの決断も、予算の制約があるために、「欲望を犠牲《ぎせい》にしている」ことはわかるでしょう。限られた資源や限られた予算（稀少性）を目の前にしたとき、人間はある欲しいものを犠牲にし、別のものを買うことを「選択」します。これを毎日毎日つづけているのです。経済生活というのは、「選択」の連続だといえるのです。

もう少し視野を広げて、お父さんの行動も考えてみましょう。D君のお父さんは毎日のようにD君から「新品のファイナルファンタジーを買って」とせがまれています。ある日ついに根負けしてD君の願いを聞いてやることにしました。喜んでゲームショップに飛んでいく息子を想像しながら、その日のランチを食べにいこうと、ふと財布の中身を見たお父さんはちょっと慌てました。D君によけいにお小遣いをあげたので、そのとき食べたいと思っていたステーキ定食の代金が払えないのです。

D君のお父さんもまたここで「選択」したことになります。

本当は豪華なランチを食べたかったのに、それを犠牲にしてD君のためにお金を消費すると決めたお父さんのけなげな「選択」。経済学から見ると、お父さんは自分の欲望を犠牲にしたかわりに、息子の欲望を満たすという苦しい選択をしたわけです。

経済学ではこのような関係を「トレードオフ（trade-off ；ふたつのうち、どちらかを選択してほかを犠牲にしなければならない状態のこと）」と言います。

このように私たちは毎日、意識しているかどうかは別にして、「何かを犠牲にしながら、何かを選択する」というトレードオフのなかで経済生活を営んでいるのです。

このことは、政府の活動についてもあてはまります。もし、政府がミサイルを１基買う決断をしたとすれば、それは民間からの税金を徴収することによってまかなわれますから、私たちの消費生活の水準をその分だけ下げるという選択をしたわけです。あるいは、病院や工場などを建てる費用がミサイルを１基買うことによって犠牲になったのかもしれません。その見返りとして私たちは「安全」を手に入れることになります（もちろん、ミサイル購入が「安全」を保障してくれるとしての話ですが）。このように「何かを選択すれば、必ず何かが犠牲になっている」わけです。

「機会費用」の概念も
ついでに覚えよう

もうひとつ、機会費用（opportunity cost）という考え方も紹介しておきましょう。

D君のお父さんは、D君にお小遣いをあげるという選択をしたため、ステーキ定食をあきらめざるを得ませんでした。このように「ある選択をした結果、あきらめることになった消費、もしくはそれから得られたであろう満足」のことを「機会費用」と言います。ここではステーキ定食を食べることができなかったためにお父さんが失った満足の大きさが機会費用ということになります。

もちろん、お父さんはステーキ定食をあきらめることによって失われた満足よりも、ファイナルファンタジーが欲しくてたまらないD君の欲望を満たしてやることから得られる満足感のほうが大きかったから、そういう選択をしたにちがいありません。大変涙ぐましい選択ですね。しかし誰でも、毎日こういった厳しい選択をしながら、そして、機会費用を甘んじて負担しながら生活しているのです。

とくに機会費用の大きさを計算することは大切です。少しむずかしくなりますが、たとえば、会社の経営者も毎日、機会費用のことを考えながら経営をしているはずです。

ある会社で1億円の資金があったとします。これをどう使うかということを社長さんが決めなければならないとします。工場の拡張のために使うのか、あるいは、銀行に預金しておくのか。工場を拡張するために使うとすると、今までよりもたくさんの商品を生産できますから、それが売れると利益が500万円増えると社長さんは計算しています。そうしないで銀行に定期預金をしておくと、確実に300万円の利息が稼《かせ》げるとしましょう。さて、読者自身が社長ならどうするでしょうか。工場を拡張しますか。それとも銀行に定期預金をしますか。

これは決して楽な決断ではありません。というのは、銀行預金ならほぼまちがいなく利息が入ってくるのに、工場拡張に使った場合は、景気が悪くなったりすると、予定どおりの販売ができない可能性もあるからです。つまり、リスク（失敗の危険）があるということです。会社の経営者というのは、毎日、このような決断を迫られているのです。

ここで大事なのは、どんな選択をしても、必ず失うもの（機会費用）があるということです。工場拡張にお金を使うとすると、「銀行に預けていたら稼げたであろう300万円」が機会費用です。逆に、銀行に預金するという決定をしたのなら、機会費用は「工場を拡張しておいたら儲《もう》かったかもしれない500万円の利益」です。

どうですか？　簡単でしょう？　トレードオフ、選択、そして機会費用。こういったキーワードを今理解しておけば、経済学はもうすぐ読者のものになるのです。ただし、安心しすぎるのは禁物です。たとえば、機会費用の概念はわかっているようで、じつは大人もわかっていないことが多いのです。

読者がもし高校生なら、将来、どこかの大学に進学することを考えていることでしょう。ここでも選択が必要です。なぜなら、どこかの大学、どこかの学部を選択すると、ほかの学校にはいけないという、トレードオフに直面するからです。もちろん、高等学校を卒業して、すぐに社会に出て働くという選択もできないことになります。つまり、進むべき大学、学部を選ぶときには、必ず、ほかの選択肢はあきらめているわけで、ここには「機会費用」が発生していることになります。

東京のような大都会でも、地価が高そうな街なかに空き地があります。空き地をそのまま放置しておいても、所有者からみれば、「どうせこの土地は親からもらったものだから放っておいてもいいんだ」ということなのかもしれませんが、じつは機会費用は非常に高いはずですね。

なぜなら、もしこの土地にビルを建てて人に貸すとか、駐車場にするとか、あるいはレストランを経営するために使うとかすれば、すごく儲かるかもしれません。何もしないという選択をしているために、とてつもなく大きな機会費用（何か有効利用を考え、それを実行すれば得られたであろう利益）を負担しているかもしれないのです。もし、この人が機会費用の概念を熟知していたなら、この土地を放っておかないで活用するかもしれませんね。

ロビンソン・クルーソーの世界では

お父さんやお母さんが働いて給料をもらってくるから、子供たちは毎日おいしい食事をすることができるし、すてきなスニーカーをはいて、遊びにも行ける。お小遣いがもらえるから、放課後のおやつに大好きなポテトチップスを買うことができるのです。

ところで、どうしてこういうふうに毎日楽しい生活ができるのか、考えたことがありますか？　なぜお父さんやお母さんは、会社から給料がもらえるのだろう？　そして、どうやって子供たちの目の前にポテトチップスが運ばれてくるのでしょう？

私たちはお金さえ持っていれば、おおよそのものが手に入る豊かな社会に住んでいます。先にも言いましたが、まさに現代社会というのは魔法の玉手箱のようです。

ところが、大昔だとそうはいきませんでした。

ロビンソン・クルーソーの物語を知っていますね？　18世紀初めに活躍したイギリスの作家、ダニエル・デフォーが書いた小説の主人公の名前がロビンソン・クルーソー。若くして船乗りとなったロビンソンは、運悪く難破して大海原の孤島にやっとのことでたどり着く。それからが大変な毎日でした。

ロビンソンにとって、簡単に何でもすぐ手に入る魔法の玉手箱はどこにもありませんでした。食べるものから着るものまですべてを自分で手に入れなければならなかったのです。そうしなければ、生きていけなかったのです。そしてロビンソンは、そんな生活をなんと28年間も過ごさなければならなかったのです。

ロビンソンほど孤独ではなくても、大昔の原始社会の部族は、自分たちの欲望を満たすためにすべて自分たちでものを調達してこなくてはならない自給自足の生活を長い間送ってきました。その時代の人間は、おなかがすけば草原や山の中に狩りをしに出かけ、また魚を捕りに海に出ていきました。果実を食べたければ木によじ登らなくてはなりません。けものの肉を食べたあと、剥《は》いだ皮は寒さをしのぐ服につくりかえる必要がありました。

ロビンソンはポテトチップスを食べることができたでしょうか？　漂流のすえにたどり着いた孤島で彼はささやかな農園と工場をつくりましたが、ジャガイモを育てることができませんでしたし、またチップを揚げるためのオイルもなかなかつくることができません。

さらにいえば、オイルを熱するためのフライパンも手に入りません。かろうじて塩はつくれますが、海水から水分を蒸発させることから始めなくてはならず、気の遠くなる時間が必要です。自給自足の生活とはそういうものなのです。

「分業」があるから街で料理が食べられる

なぜ、わずかのお金で私たちはすぐさまポテトチップスが食べられるのか。それは、いろいろな人々が、さまざまな職業について、数えきれないほどの手順をふんでポテトチップスという商品をきわめて効率的に安いコストでつくり、私たちの手の届くところに運んできて、売ってくれるからです。ひとかけらのチップが私たちの口に入るまで、想像もつかないぐらいの多くの人々、多くの国々、多くの工場、多くの職業がかかわっていることにもう気づいてもらえたでしょう。

遠く、アメリカの大農場にまかれる種イモ。それを育てるための肥料、それもまたドイツでつくられ、大きな船でアメリカに輸送されてきたものかもしれません。育てば、刈りとる人とそれに用いるトラクター。加工する工場に運ぶ大型トラック。こんどはチップにする仕事が待っていて……こんなふうに考えていくだけでも仕事の種類とそれに従事する人の数は、そうそう簡単にはすべて数えあげられないほどです。

経済学ではそのことを「分業」(Division of Labor) とよんでいます。そして、分業こそ人間が長い歴史のなかで考え出した、すばらしく便利な生産の方法だったのです。

ポテトをつくる農家、船会社やトラック輸送の会社、食品会社、税関の役人など、いろいろな専門的な仕事に従事している人々がいるからこそ、ポテトチップスは簡単に買えます。分業が世界的な広がりのなかで行なわれているからこそ、街のお店やデパートでなんでも売っている現代社会ができたのです。今や、社会全体、世界中の仕事が細かに分けられた結果、なんでもお金で買えることになりました。

専門的な仕事に従事している人々がなぜ重要かといいますと、彼らは専門家ですから、ほかの誰よりもその分野では仕事がうまく能率的にできるからです。ロビンソン・クルーソーがどんなにがんばっても、ポテトチップスひとつつくれなかったのに、それぞれの専門家が手分けして分業すると、簡単に大量のポテトチップスができてしまいます。いや、ポテトチップスのような簡単なものでなくても、高級乗用車やコンピュータ、ウォークマンやジャンボジェット機など、分業がなければとてもできそうにない商品が山ほどつくられているではありませんか。すごいことだと思いませんか？

ここまで読まれた読者にはもうおわかりでしょう。どうして、街を歩くと、銀行やレストランや、床屋さん、本屋さん、ペンキ屋さんなどが軒を連ねているのかが……。つまり、こういったお店はすべて分業しているのです。床屋さんは人の髪をきれいに刈るという専門的な仕事に「特化」（専門化）してお金を稼いでいます。銀行は預金を会社などに貸し出す仕事をしています。

お父さんやお母さんが会社から給料をもらってくるのも同じ理屈ですね。お父さんやお母さんの会社もまた、何かの仕事に特化している会社のはずです。その会社の中でさえ、分業が広範に行なわれているはずです。みんながそれぞれ、専門的な仕事に特化して、社会的分業をしている。みんなが、自分の得意分野の仕事に特化して、お互いに支え合い、助け合っている。だからこそ、豊かな暮らしができるわけです。

すばらしいことではありませんか。

私たちは決して
孤独な存在ではない！

私たちは決して孤独な存在ではなく、みんなが手を差し伸べ合って協力して生きているのです。しかも、世界中の言葉が通じない人たちの間でも、分業が行なわれていて、お互いの生活を支え合っているのです。その結果、ロビンソン・クルーソーのような惨《みじ》めな生活をしなくてもすんでいるわけです。このことが分業社会のいちばん大きな意義だと思います。

さて、もし読者がまだ学生であったとしたら、将来、どんな仕事に特化して社会のために役立ちたいと考えているでしょうか？

どんな形で、世界中に広がっている分業の輪の中に参加するつもりですか？

大事なことは、自分の好きな分野で、好きな仕事を精一杯やるということです。「好きこそものの上手なれ」ということわざがあります。好きなことに打ち込んでやっているうちに、専門家としての技術が磨かれ、世の中に貢献できるようになるという意味です。好きなことを探し出して、思う存分力を発揮できれば、私たち自身もハッピーな生活を送れるようになるでしょう。このようにして私たちは、豊かな生活を支えている分業体制の重要な一員となれるわけです。

こういった考え方からすれば、学歴よりも、世間体よりも、自分の好きな分野、得意な分野で社会的分業に参加することこそ、私たちが社会に貢献できるベストの方法だということがわかります。だから、重要なのは、どこの大学に進学して、一流企業に就職して……といった発想に陥らないで、まず、自分が好きな分野、自分に向いていそうな分野、やっていて楽しい分野の仕事とはどういう仕事であるのか、ということを若いうちに真剣に考えることです。

偏差値を見て、どこの大学なら、どこの学部なら入れるといった考え方は寂しいと思います。自分の好きな仕事を探し当てることこそ、自分自身が社会に大きく貢献できる近道だからです。そして、好きな職業につけることこそ、自分自身の人生を最も豊かにしてくれるだろうからです。

こんなことをろくに考えないで、なんとなく大学に入って、なんとなく学生生活を送っている学生が多すぎます。目的がはっきりしていないから当然勉強にも身が入らない。だらだらと生活しているうちに、あっという間に4年生になり、就職シーズンがやってきます。

そのときになって初めて、自分はいったい何をすればよいのだろうかと悩む人がほとんどです。しかし、これでは遅すぎます。結局、なんとなくどこかの企業に就職し、なんとなく人生を過ごしてしまうということになります。これではあまりに悲しい人生ではありませんか？

『痛快！ 経済学』を読み進むうちに、世の中の仕組みが見えてきます。というより、自分自身と世の中の関係というものが見えてくるといったほうが正解です。それが見えてきたら、「自分はどの分野で世の中とかかわりをもったらよいか？」という疑問がわいてくることでしょう。若い読者が若いうちに自分の進路について真剣に悩み、模索するという経験をすることは、人生を有意義に過ごす上できわめて重要です。『痛快！ 経済学』は多少ともそのお手伝いをしたいと考えているわけです。

第2章

マーケットこそは人類の最大の発明だ。

ひとりひとりが欲している商品をすばやく届けるという仕事は、
とてもむずかしい。
個人でできることではなく、
その仕事をしているのがじつはマーケットなのです。
その仕組みがあるからこそ、
私たちは楽しく生活できるし、
がんばろうという気持ちにもなれるのです。

目には見えない
マーケット

「マーケット」と聞いて何を想像しますか？　日本語では「市場」（しじょう）と訳されていますが、スーパーマーケットや下町の八百屋さん、百貨店などはもちろんマーケットの「一部」です。

しかし、経済学でいう「マーケット」は、ひとつひとつの商品ごとに存在する抽象的概念で、特定のお店のことではありません。たとえば、ある地域の自動車マーケットは、その地域のある特定の自動車販売店のことを指すのではなく、その地域の自動車ディーラー全体を指すと考えるのです。カローラという車のマーケットは、あるカローラ販売店のことではなく、カローラを販売するディーラーすべてを寄せ集めた売り手と買い手が出会う「場」であると考えてください。

なんだかむずかしそうだなと思うかもしれませんが、要は、商品やサービスを売りたい人たちとそれらを買いたい人たちが出会って、取引する「場」のことです。中世にはいわゆる「市」（いち）が開かれて、そこにいろいろな地方から売り手と買い手が集まって取引していましたね。その名残《なごり》で、毎月４日に市が開かれた四日市、毎月８日に市が開かれた八日市といった地名が今でも残っています。こういった場所では、品物の取引はそこに集中していましたから、このような昔の「市」はマーケットそのものです。

現代では、全員が同じ場所に集まる必要はなくなりました。貨《か》幣経済《へいけいざい》の発達で、取引はかつてのように物々交換である必要がなくなったためです。物々交換なら、自分が売りたい商品を求めている人に出会うだけでなく、その人が自分が欲しいと思っている商品を売ってくれる人でなければなりません。

たとえば、Aさんが「米を売り、野菜を買いたい」と思っていたとします。物々交換の世界では、Aさんは「野菜を売って、米と交換したい」と思っているBさんと出会わなければ取引が成立しません。Aさんが売り（買い）たいものがBさんの買い（売り）たいものでなければ取引は成立しません。

これを「欲望の二重の意味での偶然の一致」(Double Coincidence of Wants) といいます。野菜を売りたい人と出会っても、その人が米ではなく、魚を欲していたとしたら、取引は成り立たないからです。「市」に多くの人が集まる必要があったのはこのためです。

しかし、貨幣が広く流通するようになった現代では、自分が売りたいものは誰に売ってもかまいません。売った代金を持って、買いたいものを別のお店に買いにいけばすみますから……。

もはや「欲望の二重の意味での偶然の一致」は必要なくなったわけです。

というわけで、昔のような「市」はなくなりました。ある商品のマーケットは、今では街角の小さな店、大きなスーパー、ディスカウントストア、あるいは百貨店などをすべて寄せ集めたものです。それは昔の「市」のように、一度に観察することはできませんが、そういったいろいろな場所で取引が行なわれているわけで、その全体をマーケットとよんでいるのです。

ですから、ひとつひとつの商品について、それぞれ別個のマーケットがあることになります。スニーカーのマーケット、パソコンのマーケット、自動車のマーケットなどいろいろなマーケットが商品ごとにあると考えられるのです。第1章でわかってもらえたと思いますが、私たちの生活が豊かなのは、限られた資源を細かな分業によって、うまく個人の欲望を満たしてやるように商品を生産し、それを消費者の手元に届ける仕組みができているからです。

ひとりひとりが欲しいと思っている商品をすばやく届けるというきわめてむずかしい仕事は誰がやっているのでしょうか。

じつはその仕事をしているのが「マーケット」なのです。つまり、マーケットで消費者は「欲しいものは何であるか、どの程度の値段なら買う意思があるのか」を表明します。これに対して、企業は消費者のそういった表明された欲望（需《じゅ》要《よう》）に対して、「どれだけのものを生産し、店に届けるか」（供《きょう》給《きゅう》）を決めます。こうやって、需要と供給がマーケットで出会うことになります。

先に、「分業は人類の偉大な発明だ」と言いましたが、「分業による資源配分を可能にしたマーケットこそ人類最大の発明だ」と言い直したほうがよいのかもしれません。このことをもう少し詳しく説明してみましょう。

いろいろな専門的な仕事をして、商品をつくっている人たちや企業は、ほかの専門的な仕事をして別の商品をつくっている人たちや企業と取引する必要があります。なぜなら、分業が高度に進んでいる社会では、自分たちがつくっているものだけでは生きていけないからです。

分業が進めば進むほど、ほかの人たちと頻繁《ひんぱん》に取引をする必要があります（逆に、自給自足経済では、あまり取引の必要は生じません）。このような無数の取引を可能にしているのがマーケットなのです。

マーケットメカニズムがもつ深い意味

マーケットというのは、すべての商品ひとつひとつに対して存在しているものです。じつは、ひとことで自動車のマーケットといっても、軽自動車から豪華なリムジンもある。国産車がいいか外車がいいか。スポーツカーや街なかを走るＲＶ車、本格的なヘビーデューティな四駆があるかと思えば、トラックまであります。つまりそれぞれにマーケットがある。

自動車だけでもものすごい数のマーケットがあるのです。では洋服は？　ファミコンソフトは？　私たちの身近で、手に触れられるものだけでも数限りないマーケットがあるということです。さらに言いますと、その商品をつくるための原材料も売ったり買ったりされているわけで、原材料のマーケットとなるのです。

話はもっとややこしくなりますが、経済学で言うマーケットとは商品という見えるものばかりで成り立っているものではありません。たとえば美容師さんにヘアカットしてもらうとか、旅行にいこうと旅行会社でツアーを選ぶときに生じるサービスも、料金を払っているのですからマーケットです。サービスのマーケットと言い直せます。

そればかりではなく金融マーケットというものもあります。ニュースなどを見ていると、「ニューヨーク市場では円が売られ、１ドル130円の大台を突破しました」とか「ロンドン市場ではさらに円安が強まっています」などとキャスターが言うのをよく耳にします。

ここで言う市場すなわちマーケットも、とくに目に見えるものではなく、たまたまそれに関係する仕事についている人々が、銀行や証券会社、保険会社などにいて、お金やそれにかわる株券などを売ったり、買ったりしているだけです。この金融マーケットでは目に見える商品が動くかわりに、「売った」とか「買った」とかの意思表示された情報だけが飛び交っているのです。

また、私たちが選択する職業も目に見えないマーケットを形づくっています。なぜなら世の中にはたくさんの職業があり、私たちはそのなかから、いったいどんな職業が自分に向いているのか、給料がいちばんいい職業は何か、といったことをまるで商品を選ぶときのように選択するからです。

サラリーマンになる人もいれば、ファミコンソフトをつくるプログラマーになって大金持ちになる人もいます。あるいはフリーターのほうがいいという人もいることでしょう。こういった人たちが「労働サービス」を供給しているわけです。

一方、企業の側では、事業を進めるのに労働を提供してくれる人を探しています。「どうぞうちの会社に来て働いてください」と労働サービスを「需要」するのは、企業の側です。もちろん、なりたい職業があったとしてもなかなか思いどおりに就職することはできないかもしれません。逆に、すてきな仕事を用意できない企業に私たちは魅力を感じません。だから職業を求める側と用意する側が労働市場を通じて出会うことになるのです。

欲しいと感じてそれを買う側と、商品をつくり、売る側があるからマーケットが成り立つ。この需要（demand）と供給（supply）がマーケットで出会うことによってさまざまな分業が互いにつなぎ合わされていくのです。マーケットがなければ、分業している人々が互いに欲しいものを交換することができなくなってしまいます。分業が可能になっているのは、じつはマーケットが存在しているからなのです。
　需要と供給がうまく一致した場合、買いたい人は買いたい商品が手に入り、売りたい人は思っていただけ売れることになります。このことを「需要と供給が均衡《きんこう》した」といいます。
　無数の商品やサービスのそれぞれについて、均衡が実現するように、需要と供給をたえず調整することがマーケットのいちばん重要な役割で、その働きの全体を総称して「マーケットメカニズム」とよんでいるのです。じつは、需要と供給が、ほぼ完全にいつも均衡するように調整されている（マッチングがなされている）からこそ、私たちは何でも欲しいものを手に入れることができているわけです。マッチングができていないと、欲しいものが十分供給されていなかったり、欲しくないものばかりが売られているということが起こってしまうからです。
　ロビンソン・クルーソーの孤島ではマーケットメカニズムは働きませんでした。なぜならロビンソンがたとえものを生産したとしても、それをほかの人の何かと交換したり、売ったりすることはできなかったからです。自給自足では、マーケットは生まれないのです。彼はマーケットからも遠く離れたところにいたのです。
　私たちはロビンソン・クルーソーとはちがって、毎日、目に見えない、そして耳に聞こえない巨大な竜巻《たつまき》のようなマーケットメカニズムのなかで暮らしているのです。それぞれの商品のマーケットには、お互いに顔も知らない人たちが何千人、何万人も参加しています。それなのに、全体として需要と供給がマッチングされるというのはまさに奇跡的ではないでしょうか。

では、そのマーケットメカニズムとはどんな仕組みで動いているのでしょうか。次に見てみましょう。

マーケットで決まる
ものの値段

少し前に大ヒットとなったゲームソフト「ドラゴンクエスト」。でも最初のころ、誰もこれがものすごく売れるものとは思っていなかったといいます。ところが予想に反して、売り出したとたんに全国の小中学生がソフトショップに殺到し、すぐに売り切れとなりました。そのソフトメーカーは需要の見込みちがいをしてしまって、最初はあんまりつくらなかったのです。供給の量をまちがったということです。このとき、需要は供給をはるかに上回っていたわけです。

ここでメーカーは、必死になって商品の追加生産をしたので、「ドラゴンクエスト」への需要は、少し待たされたものの、まもなく充《み》たされることになりました。その結果、大ヒット商品になったというわけです。

逆のことを想像してみてください。絶対売れるはずだと考えて本屋さんにいっぱい並べたマンガの本があるとします。その作者は前にヒットを飛ばしたマンガ家ですから、出版社は売れるだろうとたくさんの量を供給したのです。しかしそのマンガ本は、どういうわけかまったく売れません。それどころか本屋さんからは返品の山。その出版社の倉庫には入りきれないほどの量でした。出版社はつぶれてしまいました。需要を読みちがえて、それを上回る供給をした例です。

このように、マーケットの調整は厳しい側面をもっていることがわかります。需要を読みちがえると、倒産すらありうる、だから、供給側は一生懸命、売れると思われる商品を探し、どれだけ売れるかを予測しなければならないのです。

私たちは日々の経済生活のなかで、頭をしぼって何を選び、何をあきらめるかという「選択」をしているということを前の章で説明しましたが、その選択をする際に最も重要な手がかりを与えてくれるのがものの値段、つまり価格だということは誰でも経験で知っていることです。値段が高すぎると感じる人はその商品を買いませんし、安いと感じる人は喜んで買うでしょう。

同じ値段に対して、ある人は高いと感じ、別の人は安いと感じる。それはなぜでしょうか。

ふたつの理由があります。ひとつは、人によって好みが異なるためです。ある人はワインが好きなので、少々高くても買って飲みたいと思っていますが、別の人はお酒を飲まないのでいくら安くても見向きもしないといったケースです。

もうひとつは、お金持ちの人と、貧乏な人とでは、値段に対する考え方が異なりますね。お金持ちの人でも値段に厳しい人はいますが、全体的に見ると、お金に余裕のある人は、お小遣いに毎日困っている人に比べると、少々高い買い物でもしますね。このように、「好み」と「予算」が異なるたくさんの人たちがマーケットに出かけ、買い物をしているわけです。

他方、売る側も価格を見て生産の決定をしているはずです。生産にかかる費用に比べて高く売れるなら、会社は儲《もう》かりますからたくさんその商品を供給しようとするでしょう。逆に、値段が安すぎて、利益が出そうもなければ、生産を縮小したり、生産をやめたりするはずです。

このように、マーケットメカニズムで最も大切な役割を果たしているのが「価格」です。ときに、マーケットメカニズムのことを「価格メカニズム」とよぶのはそのためです。なぜ価格が大事かというと、ものを売る側は、マーケットで売れる価格をいつも観測しながら、生産する数量を決めていて、ものを買うほうも、値段を見ながら何をどれだけ買おうかと考えながら、買い物をしているからです。

需要曲線は
何もむずかしくない!?

A君の毎月のお小遣いは2000円です。彼はお菓子が大好きで、チョコレートがいちばんのお気に入り。しかしときにはアイスクリームも食べたいと思っています。今、チョコレートは1個50円、アイスクリームは1個100円でした。A君はチョコレートを何個、アイスクリームを何個買うでしょうか。

これはA君の好みの問題です。チョコレートを30個、アイスクリームを5個にするのか(これで2000円になります)。

あるいはチョコレートを20個、アイスクリームを10個にするのか。

いずれを選択するにしても、A君は選択の自由が与えられている限り、「自分の満足度がいちばん大きくなるように」これらふたつの商品の選択をするはずですね。仮に、この値段ではA君はチョコレートを30個、アイスクリームを5個消費したとします。

こんどは、チョコレートの値段が100円に値上がりしてしまった場合のことを考えてみます(アイスクリームの値段は変わらないとします)。このときのA君の需要はどう変わるでしょうか。

チョコレートの値段が上がったのですから、当然、チョコレートに対するＡ君の需要は減るはずです。アイスクリームの値段は100円で前と変わっていませんが、しかし、チョコレートの値段が上がったために「相対的には」アイスクリームは安くなったと言えますね。この値段の組み合わせでは、Ａ君はチョコレートを10個、アイスクリームを10個消費する決心をしました。

さらにチョコレートの値段が150円にまで上がったとしたらどうでしょうか（アイスクリームの値段は依然として100円のままです）。Ａ君は怒ってチョコレートの消費量を４個に減らし、アイスクリームを14個買うことにしました。おもしろいのは、値段が変わらなかったアイスクリームの消費量がどんどん増えたことですね。

その理由は、私たちが問題にしているのが50円とか100円とかいった「絶対価格」ではなくて、あくまでほかの商品との間の「相対価格」であるということです。

アイスクリームの100円という絶対価格は変わらなかったのですが、チョコレートとの対比で見た「相対価格」は、100／50（＝２）、100／100（＝１）、そして最後には100／150（＝２／３）というように値下がりしたわけです。だから、Ａ君はアイスクリームへの需要を増やしたのです。これに対して、チョコレートの相対価格は、50／100（＝１／２）、100／100（＝１）、150／100（＝３／２）と変化しました。

Ａ君のチョコレートとアイスクリームの需要と「相対価格」との関係をまとめると次の**表１－１**、**表１－２**のようになります（P.40～41）。

図２－１、**図２－２**はＡ君のお小遣い（予算）が2000円のときのチョコレートとアイスクリームに対する消費量が、「相

■表1-1　A君のチョコレートに対する需要表

（予算=2000円、アイスクリームの価格=100円）

チョコレートの価格	50円	100円	150円
チョコレートの相対価格	1/2	1	3/2
消費量（個）	30	10	4

■図2-1　A君のチョコレートに対する需要曲線

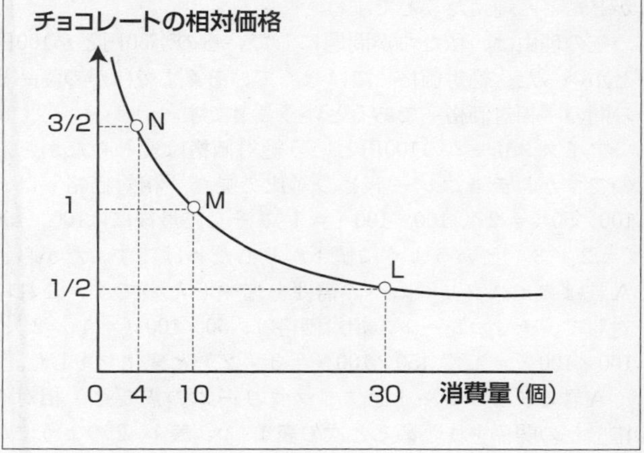

■表1-2　A君のアイスクリームに対する需要表

（予算=2000円、アイスクリームの価格=100円）

チョコレートの価格	50円	100円	150円
アイスクリームの相対価格	2	1	2/3
消費量（個）	5	10	14

■図2-2　A君のアイスクリームに対する需要曲線

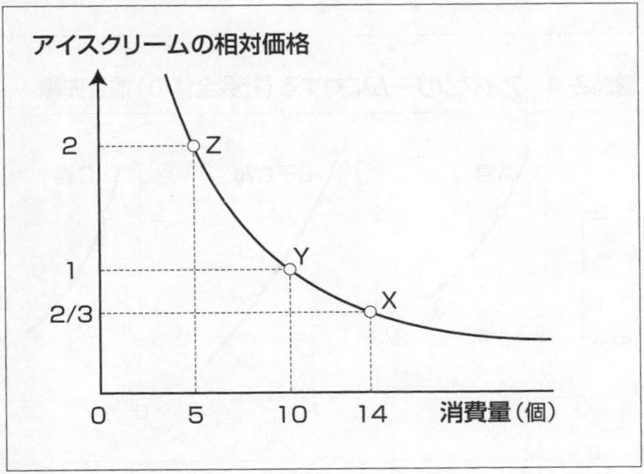

■図2-3　チョコレートに対する（社会全体の）需要曲線

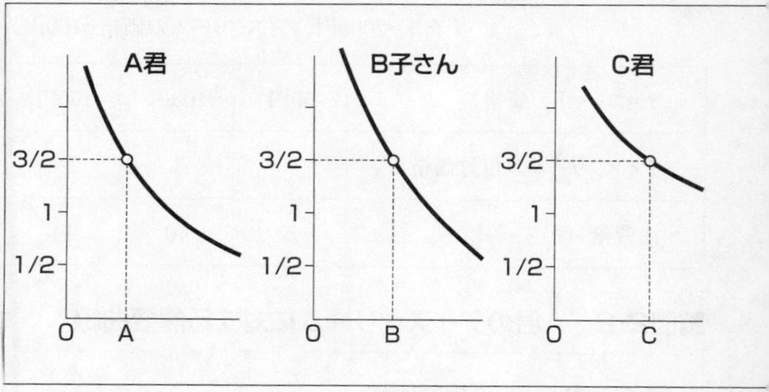

■図2-4　アイスクリームに対する（社会全体の）需要曲線

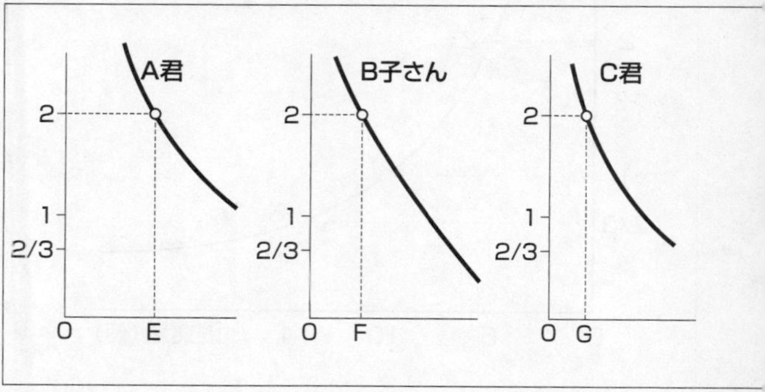

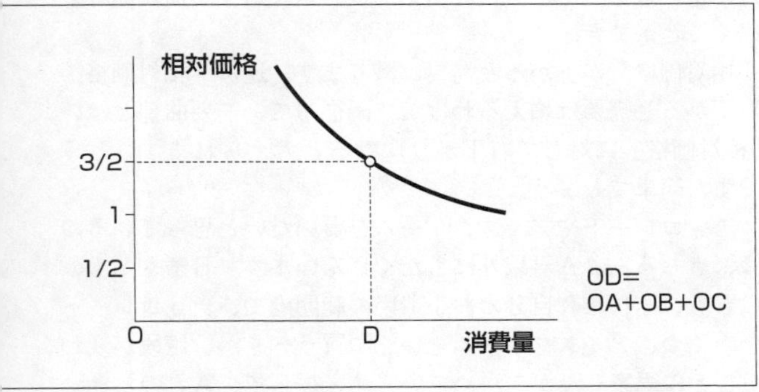
相対価格
3/2
1
1/2
O
D
消費量
OD=
OA+OB+OC

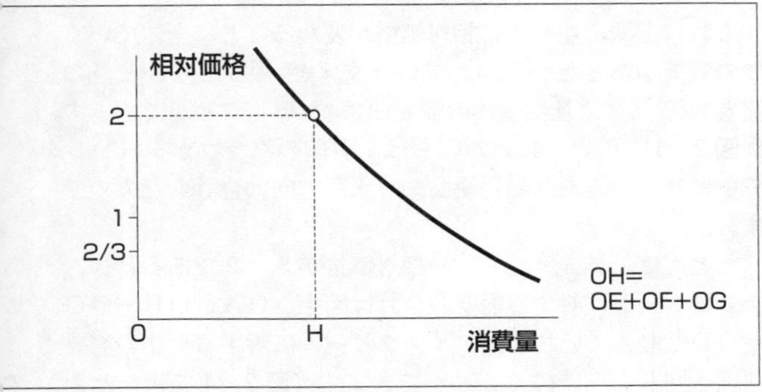
相対価格
2
1
2/3
O
H
消費量
OH=
OE+OF+OG

対価格」の変化とともに変わる様子をそれぞれ、L、M、N、およびZ、Y、Xの座標で示したものです。

L、M、Nをつなげると、チョコレートに対する需要曲線、Z、Y、Xをつなげるとアイスクリームに対する需要曲線を描くことができます。

「相対価格」が上がると需要は減ります。逆に「相対価格」が下がると需要は増えるわけです。従って、需要曲線とは、「相対価格」に対して右下がりになると考えられます。どうです、簡単でしょう。

チョコレートやアイスクリームを買いたいと思っているのは、もちろん、A君以外にもたくさんいます。B子さんも、C君も、それぞれ自分のお小遣いの範囲内で、チョコレートをいくつ、アイスクリームをいくつ買うべきか、値段が変わるごとに思案しながら決めています。従って、A君のときと同じような需要曲線をそれぞれチョコレートとアイスクリームについて描くことができるはずですね。

これらを横に並べて、相対価格が変わるごとに全体でいくつの需要があったかを加えていきますと、「ひとりひとりの需要曲線」から「社会全体の需要曲線」を導くことができます。

図2－3（P.42〜43）のいちばん右側のグラフがチョコレートに対するみんなの需要曲線を水平方向に合計したものです。

たとえば、チョコレートの相対価格が3／2であるとき、チョコレートに対する需要の合計は図中、OA＋OB＋OC＝ODとなっています。アイスクリームに対する全体の需要曲線も同じように描くことができます（**図2－4**で、たとえば、相対価格が2のときの社会全体の需要はOE＋OF＋OG＝OHとなっている）。

ただし、実際には、チョコレートやアイスクリームの消費者は無数にいますから、本当の社会全体の需要曲線はもっと大きく、右の方向にずらして描く必要があります。

最後は、読者に考えていただきます。もし、A君のお小遣いが2000円から倍増して4000円になったとしたら、A君のチョコレートとアイスクリームに対する需要曲線はそれぞれどのように変わるでしょうか。さらに、景気がよくなってB子さんやC君のお小遣いも倍に増額されました。社会全体のチョコレートとアイスクリームの需要曲線はどう変わるでしょうか？　（ヒント：みんなの予算が増えれば、同じ価格に対し、チョコレートやアイスクリームへの需要が増える。このため、需要曲線は右側にシフトします。）

こんどは供給曲線を探そう

需要曲線のところで議論した価格をもう一度使いましょう（以下の説明では数字がたくさん出てきます。P.46〜47の表2－1、表2－2とグラフを見比べながら、がまんして読んでください）。

初めチョコレートは50円、アイスクリームは100円でした（チョコレートの相対価格は1／2）。チョコレートの値段が安いために、会社はあまり利益の出ないチョコレートの生産を少なめの10,000個にしようとします（図2－5のG点）。

他方、アイスクリームはチョコレートに比べると高い値段で売れるため（アイスクリームの相対価格は100÷50＝2です）、生産量は多めの50,000個です（図2－6のH点）。

チョコレートとアイスクリームの値段がともに100円の場合、チョコ・アイス社はチョコレートの生産量を20,000個に

■表2-1　チョコ・アイス社のチョコレート供給表

（アイスクリームの価格=100円の場合）

チョコレートの価格	50円	100円	150円
チョコレートの相対価格	1/2	1	3/2
供給量（個）	10,000	20,000	30,000

■図2-5　チョコ・アイス社のチョコレートの供給曲線

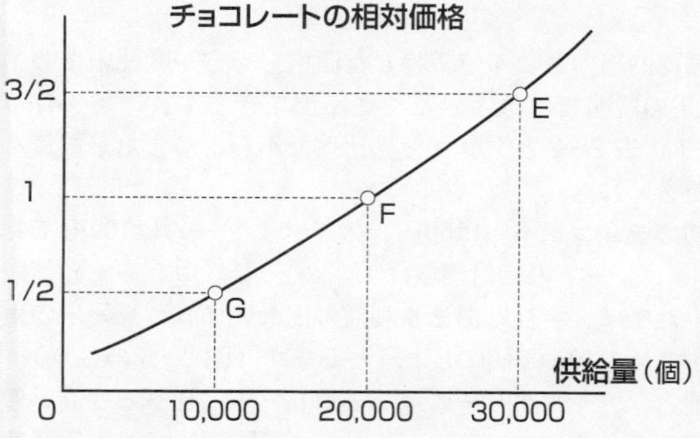

■表2-2　チョコ・アイス社のアイスクリーム供給表

（アイスクリームの価格=100円の場合）

チョコレートの価格	50円	100円	150円
アイスクリームの相対価格	2	1	2/3
供給量（個）	50,000	30,000	10,000

■図2-6　チョコ・アイス社のアイスクリームの供給曲線

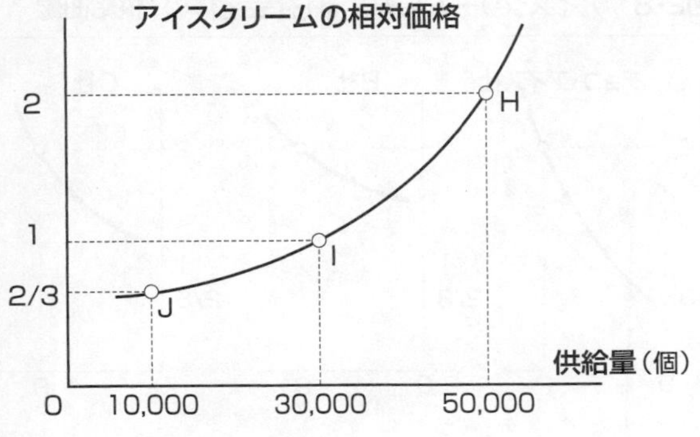

■図2-7　チョコレートに対する（社会全体の）供給曲線

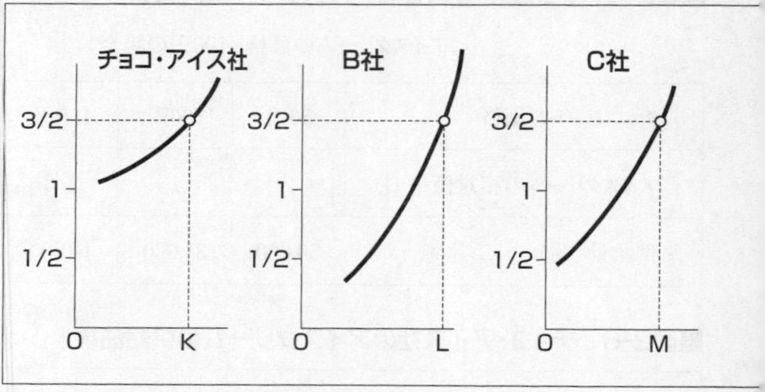

■図2-8　アイスクリームに対する（社会全体の）供給曲線

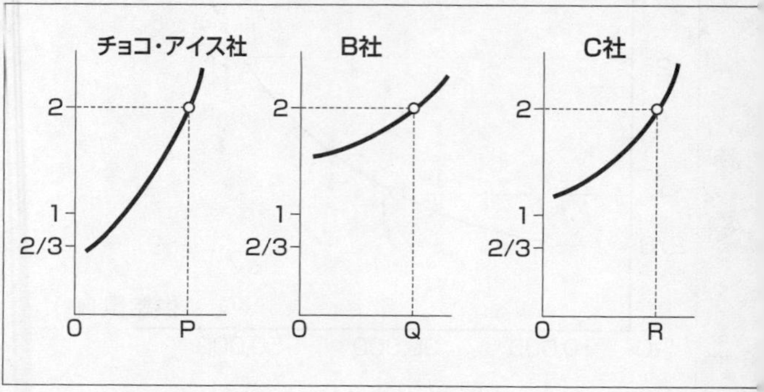

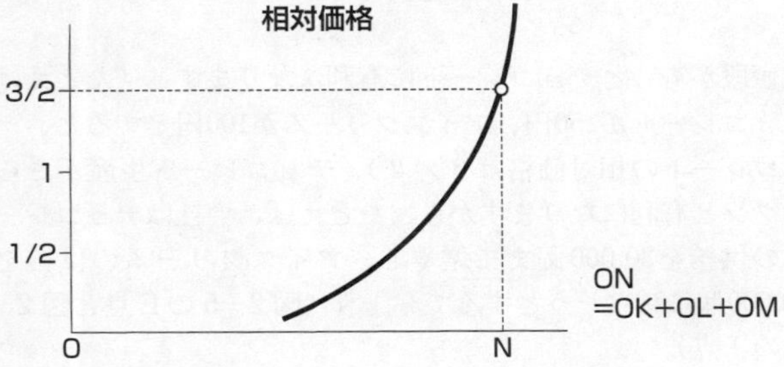
相対価格
3/2
1
1/2
O
N
ON
=OK+OL+OM

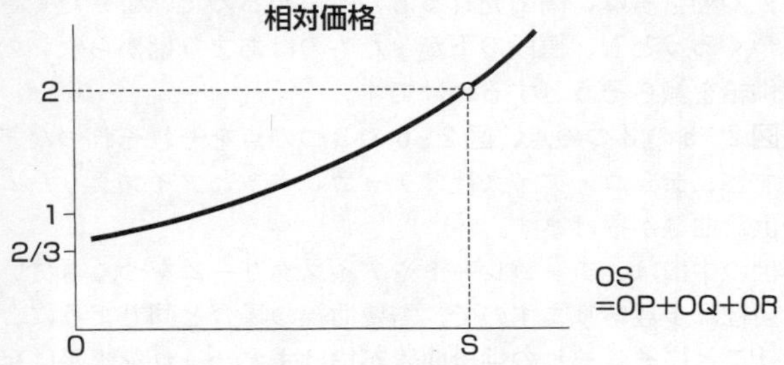
相対価格
2
1
2/3
O
S
OS
=OP+OQ+OR

増やし、アイスクリームの生産量を30,000個に減らす決定をしました（図2－5のF点と図2－6のI点）。なぜなら、会社の限られた設備、従業員をより有効に（つまり、利益が最大になるように）使うには「相対的に」利益が出やすくなったチョコレートの生産に生産資源を移すことが得策《とくさく》だからです。

値段がもっとチョコレートに有利になりますと（たとえば、チョコレートが150円、アイスクリームが100円とすると、チョコレートの相対価格は3／2）、チョコレート生産がさらにグンと有利になりますから、たとえば、会社はチョコレートの供給を30,000個まで増やし、アイスクリームの供給を10,000個に減らそうとするでしょう（図2－5のE点と図2－6のJ点）。

供給曲線は需要曲線とはちょうど逆に、「相対価格」が上がると、供給は増え、「相対価格」が下がると供給は減りますから、右上がりのグラフになりますね。直観的に言うと、会社の経営者は、高く売れるものは儲《もう》かるので、よりたくさんつくろうとし、値段の下がったものはあまり儲からないので供給を減らそうとするわけです。

図2－5の3つの点、図2－6の3つの点をそれぞれつなぎますと、チョコ・アイス社のチョコレートとアイスクリームの供給曲線が描けます。

世の中には、チョコレートやアイスクリームをつくっている会社は多数ありますので、需要曲線の場合と同じように、会社ごとにそれぞれの供給曲線が描けます。それを水平に足し合わせていきますと、社会全体の供給曲線を得ることができます。

チョコ・アイス社のほかに、B社、C社があったとしますと、図2－7、図2－8（P.48〜49）のそれぞれいちばん右側の供給曲線がチョコレートおよびアイスクリームの社会全体の供給曲線です。

図2－7では、たとえば、相対価格が3／2のときのチョコレートに対する社会全体の供給はON（＝OK＋OL＋OM）、また、図2－8では、相対価格が2のときのアイスクリームの供給はOS（＝OP＋OQ＋OR）とそれぞれ表わされています。なお、チョコレートやアイスクリームをつくっている会社は実際はもっとたくさんありますから、図2－7や図2－8の右端にくる社会全体の供給曲線は、そういった会社のもつ個々の供給曲線を水平方向に足し合わせていく必要があります。ですから、社会全体の供給曲線はもっと大きく右の方にずらして描く必要があります（ただし、ここでは紙幅の関係上、3社しか会社はないもの、として図を描いてあります）。

ついにマッチングが
できました

図2－3のようにして描かれた社会全体の需要曲線と、図2－7の社会全体の供給曲線をひとつのグラフに重ね合わせて描いたのが次の図2－9（P.52）です。この図はチョコレートに対する需要と供給のマッチング（均衡）がどのように実現するかを考えるうえで、役に立ちます。図ではちょうど相対価格が1のとき（すなわち、チョコレートもアイスクリームも100円のとき）、需要と供給が一致するように描かれています。この価格のとき、需要と供給はマッチングできたことになります（需要と供給が一致したときの価格を均衡価格とよんでいます）。

■図2-9　チョコレートにおける需要と供給

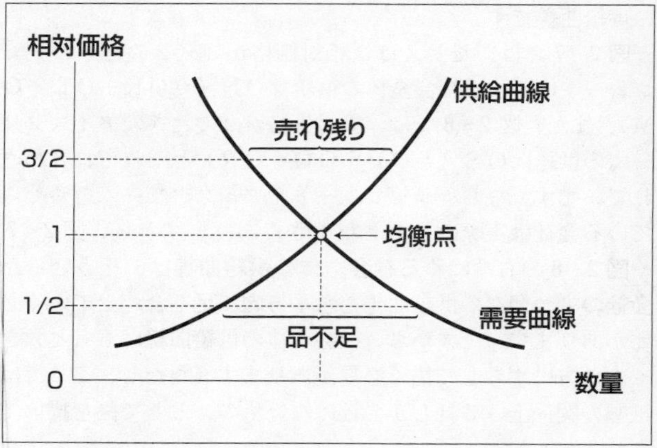

マッチングできると何がよいかと言うと、消費する側が消費したいと思う数量を、ちょうど会社側が生産してくれるということがすばらしいのです。消費者と企業は別にどこかで一緒に消費計画や生産計画を相談したわけではありません。ともに、「相対価格」を見ながら、それぞれ需要計画や生産計画を立て、実行しただけです。

それなのに、需要と供給は見事に一致したのです。この場合、消費者は買いたいと思っていた量を買えますし、会社のほうは売りたいと思っていた量を売ることができます。ここには品不足も売れ残りもありません。

Ａ君やＢ子さん、Ｃ君たちがいつ店にいってもたいていのものが買えるのは、マーケットを通じて、このような需要と供給のマッチングがほぼ実現しているからなのです。すごいことですね。

それでは、このような需要と供給のマッチングがうまくいくのはなぜかということをもう少し詳しく見ておきましょう。

チョコレートの相対価格が３／２（＝150／100）のとき、チョコレートの供給は需要を上回っています。企業はチョコレートの相対価格が高いので、儲かると思ってたくさんつくってみたのですが、消費者は高すぎてあまり買ってくれません。このとき、売れ残りが出ますので、チョコレートは値崩れするでしょう。

値段が下がってくると、企業側は供給を減らし、需要側は需要を増やしますから、過剰供給はだんだんと解消し、価格は均衡価格に近づいていきます。

チョコレートの相対価格が１／２（＝50／100）と低いとき、今度は需要が供給を上回っています。いわゆる品不足の状態です。品不足の商品の値段は普通上昇しますから、それにともなって、供給が徐々に増え、逆に需要は徐々に減っていきます。その結果、やっぱり価格は均衡価格のほうに向かって調整されていくでしょう。

供給過剰のとき、需要過剰のとき（いずれも不均衡とよびます）、いずれのときにも、マーケットメカニズムがうまく働いて、やがて需要と供給がちょうど一致する状態が実現すると考えられます。つまり、マーケットはこのように需要と供給をうまく均衡させる機能をもっているのです。読者は、こんどはアイスクリームの需要と供給がどのようにしてマッチングされるかということを、**図2-4**、**図2-8**を使いながら同じようなグラフを描いて確認してください（ただし、ここでもチョコレートとアイスクリームの値段がともに100円のとき〈相対価格＝１〉、アイスクリームに対する需要と供給が一致すると仮定してください）。

面倒かもしれませんが、自分でグラフを描いて確認してみると、完全に頭に入ります。

一般均衡の
すごさ

さて、以上で需要と供給がマッチングさせられる状態（均衡状態）がどのようにして達成されるかということを見てきました。

このような需要と供給をマッチングさせるマーケットの機能は、別にチョコレートやアイスクリームに限らず、あらゆる市場取引が可能な商品やサービス（自動車やヘアカット、テニススクールやお金の貸し借りなど無数にある）についても適用できます。つまり、すべての商品やサービスについて、以上で見たような需要と供給の調節機能が働いているわけです。

仮に、今、すべての市場で需要と供給の一致（均衡）が実現したとしましょう。この状態のことを「一般均衡」とよびます。逆に、ひとつの商品について、需要と供給が一致することを「部分均衡」とよびます。チョコレートの需要と供給が一致した場合、それは「部分均衡が成立した」と言いますが、すべての商品・サービスで同時に需要と供給が一致した状態が成立したとしたら、そのことを一般均衡とよぶわけです。

一般均衡ってすごいと思いませんか。すべての商品の需要と供給が同時に均衡しているのですから、すべての消費者は均衡価格のもとで自分が買いたいと思っている商品をすべて手に入れることができますし、すべての供給者はやはり同じ均衡価格のもとで、生産したものをすべて売りきることができるのですから……。

そして、このような一般均衡が成立している状態は、最も効率的な資源配分を表現している状態でもあります。なぜなら、民主主義的な市場でのお金による投票によって、何が、どれだけつくられるべきかということが価格の調整を通じて決められるからです。

この投票は、誰に強制されたわけでもありません。それぞれ、主体性をもった個人が予算という制約はありながら、その制約のもとで、自由に好きなものに対しては買いたいという意思表示をし、企業は消費者の投票行動を観察しながら、生産すべき商品や供給すべきサービスを決めているからです。

このように一般均衡においては、消費者と生産者が折り合いのつくところ（需要と供給が一致する均衡点）で最終的な資源配分が決められています。一般均衡が成立している状態を、経済学では「パレート最適」とよんでいます。

ちょっと専門的になりすぎたかもしれません。読者諸君にはとりあえず、マーケットメカニズムのすごい力を知ってもらえばよいと考えます。とにかく、民主主義的なマーケットでの「お金による投票」を通じて、需要と供給が調節され、一般均衡が実現するなら、私たちは自分たちが選択した商品を必ず手に入れることができるのですから……。

第１章で、ロビンソン・クルーソーの世界に比べて、現代社会では何でも欲しいものが手に入るので「魔法の玉手箱」のようだと言いましたが、なぜそんな不思議なことが実現しているのか、その秘密の一端を理解できたのではないでしょうか。つまり、分業している多くの人たちが無数の取引をする過程で、売り手と買い手の欲望をマーケットがうまく調整しているから、何でもすぐに手に入る現代社会が実現したのです。

アダム・スミスの「見えざる神の手」

もっとも、一般均衡が常に実現しているわけではありません。現実には、それぞれの商品のマーケットで需要と供給の不一致があって、マーケットがそれを一生懸命に調整している状態のほうがより一般的でしょう。しかし、マーケットには、そういったいろいろな商品の需要と供給の不一致を常に均衡の方向に向かって調整しているという機能があるということがすばらしいのです。

別の表現で言い直しますと、需要と供給の関係は幸せなマッチングを求めて常日ごろ移り変わりつづけていて、それにつれて価格も変化しつづけるということなのです。そのことはマーケットがいつもダイナミックにうごめいているということでもあります。そんなうごめきが無数にあると想像してください。マーケットはまさに混沌《こんとん》から秩序を生み出すマジシャンそのものなのです。

マーケットが「見えざる神の手」によって動いているものだと見極めたのは、アダム・スミスという18世紀にイギリスで活躍した経済学の元祖とみなされている偉大な哲学者でした。今日の経済学の基礎をつくったアダム・スミスは、その古典的名著『国富論』のなかで、個人個人が自分の欲望のおもむくままに行動しているのに、全体ではちゃんと調和がとれているのは、「見えざる神の手」の仕業だという言い方をしたのですが、「見えざる神の手」とはすなわち、マーケットメカニズムのことであるというのはもうおわかりでしょう。

経済学を理解する第一歩はこのような需給調整機能としてのマーケットメカニズムの意義を十分に理解することから始

まるのです。読者はすでにその第一歩を踏み出したことになります。

ところが日本はつい最近まで、マーケットにかわって通産省（現・経済産業省）や大蔵省（現・財務省)、農水省などの役所が資源配分を決定する傾向がかなり強かったのです。日本がしばしば「規制王国」「官主導の国」と批判されるのはこのためです。マーケットのすばらしさを活用しないで、政府が商品やサービスの値段を決めたり、競争に制限を加えるとどうなるでしょうか。

そのような場合、マーケットを通じた欲望の充足、あるいは、経済学の用語を使えば「一般均衡」が実現しないことは明らかです。一般均衡が実現しないということは、本来あるべき需要と供給のマッチングができないということになります。そのことがどれほどの社会的損失を生み出すのか。このことについて考えてみましょう。

過剰な規制や
保護政策による損失

⑴参入規制の社会的コスト

日本では多くの業界で「参入規制」がしかれていました。その業界で新たに商売を始めようとしても、役所の認可を受けなければなりません。ところが、役所は、新たに参入してくる企業が増えると競争が激化し、すでに存在している会社が倒産するかもしれないから、新たに参入しようとする企業になかなか認可を与えないわけです。

たとえば、誰かが運送業を始めようと思い、トラックを１台買ってきて、運送業の営業認可を運輸省（現・国土交通省、以下略）に申請したとします。ところが運輸省は「トラックが１台だけでは認可できない」と言うはずです。現在の規則では、運送業を始めようとする者はトラックを最低10台はそろえなければなりません。これは明白な参入規制の一種です。

運輸省がこのような規制をする理由は、既存の運送業者をより激しい競争から守ることにあります。既存の運送業者を守るということは、競争がそれだけ制限されるため、荷物を預ける側がそれだけ高い運送料金を支払わされるということを意味します。

もちろん、表向きは個人トラック業者（１台のトラックで営業する運送業者）は、大会社に比べて弱い立場にあるため、荷主にむりな仕事を頼まれても断れない。したがって、ついつい睡眠を十分にとらないで長距離運転をするなど、自己の健康管理がしにくいこと、また、過積載《かせきさい》（法律で許された以上に荷物を積んでしまうこと）をする危険が大きいことなどが参入規制の理由としてあげられています。このような、私から見ればほとんど理由にならない理由を並べて役所は新規参入を拒《こば》んできました。ちなみに、このような個人トラックの営業はほとんどの国で認められています。

役所が新規参入を拒否する本当の理由は、多くの場合、そうすることで役所がその業界に影響力を行使できるということにあります。許認可の権限が強ければ、業界は役所に気に入られようとして、官僚ＯＢを自分の会社に受け入れたり（天下り）、接待など様々な形の便宜を供与するようになります。こうして、いわゆる「官民癒着《かんみんゆちゃく》」が定着してきたのです。

このような参入規制は運送業だけでなく、さまざまな業界でかなり広範に見られます。参入規制を撤廃《てっぱい》すべきだという意見は強く出されていますが、業界と役所は、結束が強いところも多く、なかなか自由化は進まないのが実情です。参入

■図2-10　参入規制の社会的コスト

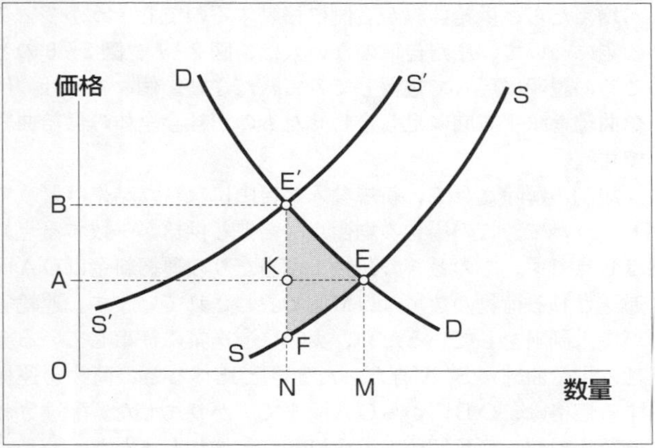

規制がもたらす社会的なコストとはどんなものでしょうか？

上の図２–10のＤＤ線はトラック運送に対する社会の需要を示すものとします。縦軸には荷物１個当たりの価格、横軸は運搬される荷物の個数です。トラック運送の値段が安いほど、需要が増えることは当然です。従って、ＤＤ線は右下がりになっています。

図２–10のＳ′Ｓ′線は、規制によって運送業者の数が制限されている場合の供給曲線です。この場合、需要と供給はＥ′点で一致しています。このときの荷物１個の配達料金はＯＢ円、配達される荷物はＯＮ個です。

もし参入規制がなく、誰でも自由にトラック運送業に参入できるとした場合にはどうなるでしょうか。「荷物１個の配達料金がＯＢ円だと儲かるぞ」と考える人は運送会社をつくってこの業界に参入してきます。その結果、供給曲線はもとのＳ′Ｓ′線からＳＳ線に変化したとします（なぜ、会社の数が増えたら、供給曲線が右側に移動するのでしょうか？　この点について、まだ自信のない人は、**図2－7**、**図2－8**のところの説明に戻って復習してみてください。個々の会社の供給曲線を水平方向に足し合わせたものが社会全体の供給曲線です）。

規制が解除されて、新規参入が自由になった結果はどうでしょうか？　この場合の均衡点（需要と供給が一致する点）はＥ点です。そのときの荷物１個当たりの運搬料金はＯＡ円、運送される荷物の数量はＯＭ個で表わされています。運輸省が参入制限をしているため、実際に運送業に従事している会社の供給曲線がＳ′Ｓ′線だったときと比べると、荷物を運搬する価格は、ＯＢ円からＯＡ円まで下がりました。配達される荷物の数もＯＮ個から、ＯＭ個へと増加しました。

どうでしょうか？　荷物を出すほうからいえば、こんなありがたいことはないですね。これまでよりかなり値段が下がり、これまではがまんしていたものもどんどん送れるようになったのです。このような場合、規制緩和《かんわ》が消費者にとってプラスになることは明らかですね。

ただし、既存の運送会社にとっては競争が厳しくなりますから、競争に敗れて倒産する会社も出てくるかもしれません。規制緩和がなかなか進まないのは、このような事情があるからです。役所が消費者側の立場に立つのではなく、いつも便《べん》宜《ぎ》を図ってくれている企業側の立場に立つ場合には、よほど消費者がしっかりと声を大にして規制緩和を訴えないと、自由化が進まないのはそのためです。

なお、経済学ではこのような規制の社会的損失額を**図2－10**の薄墨色の部分で表わします（ただし、以下の部分は少しむずかしいので、面倒に感じる人はとりあえず、読み飛ばしても差し支えありません）。

なぜ、薄墨色の部分が社会的損失の大きさを表わすのでしょうか。規制があるときの運送数量はＯＮでした。しかし、ＯＮ個目の荷物のことを考えてみますと、消費者（荷主）はＯＢ円支払ってもよいと考えているのです。もし、規制がなく、誰でもこの業界に参入できるとすれば、じつは新規参入する運送会社はＯＮ個目の荷物をわずかＮＦ円で運んでもよいと考えているのです。

この消費者が支払っている値段と、運送会社が請け負ってもよいと考えている値段の差はじつにＥ′Ｆ円にもなります。この中間の値段（たとえば、ＮＫ円）で交渉が成立したとしますと、消費者（荷主）はＥ′Ｋ円も安く荷物を運んでもらえるのです。また、ＦＮ円で荷物を運んでもよいと考える運送業者は、ＫＦ円も利益が上がるのです。結局、社会全体（消費者と企業）では、ＯＮ個目の荷物だけで、合計Ｅ′Ｆ円（＝Ｅ′Ｋ円＋ＫＦ円）の余剰《よじよう》利《り》益《えき》が発生します。

規制緩和にともなって運送数量が増えてきますと、この余剰の幅（ＤＤ線とＳＳ線に挟まれた部分）は少しずつ狭まりますが、それでも、運送量がＯＭ個になるまでは正の値をとりつづけます。参入が自由になると、結局、高く支払ってもよいと考える消費者と、安く運んでもよいと考える運送会社が出会って、値段が下がるとともに、運送数量はＯＮからＯＭまで、ＮＭだけ増えました。

最終的な均衡価格はＯＡ（＝ＭＥ）円ですから、規制時に比べて、ＡＢ円も値下がりしました。消費者は結局、薄墨色の部分Ｅ′ＫＥだけ得をしたことになります。また、規制に守られていた運送会社は競争激化で運送料金が下がった分だけ厳しい経営を迫られるようになりましたが、新規参入者を含めた運送業者全体としては薄墨色の部分ＫＦＥだけ、余剰

（利益）が増えたことになります。

結局、社会全体で見ると、薄墨色の部分E′FEが消費者と運送業者が追加的に得た利益です。つまり、規制緩和によって発生した「社会的余剰」は薄墨色の部分で表わされるということになります。逆に、規制によって供給曲線がS′S′線のところにとどまっているならば、これと同じだけの規制による「社会的損失」が発生することになります。

⑵減反《げんたん》政策のコスト

もうひとつ、規制のコストの例として、減反政策のコストについて考えてみましょう。

よく知られているように、日本では米の価格は長い間、かなり高い水準に規制されてきました。そして、農家がつくった米は政府が決めた価格で、すべて責任をもって買い上げるという制度（食糧管理法）をつづけてきました。この食糧管理法は、米という基本的な食糧を自給できるよう、米作農家を保護することを目的に太平洋戦争が始まった直後の1942年（昭和17年）につくられたものです。

その結果、何が起こったかと言うと、たしかに、米の自給は維持されました。しかし、日本の米は外国産の米に比べて何倍もの価格がついてしまいました。また、農家はつくった米を政府が公定価格で必ず買ってくれるという安心感から、どんどん米をつくりましたので、需要に比べて米が大量に余りはじめたのです。

普通、マーケットメカニズムが機能しているところは、ものが余ると値段は安くなりますね？　ところが、政府が農家を保護するという名目で米の値段は引き下げられなかったのです。値段が高いまま維持されていて、なおかつ、政府がその値段で必ず買い取ってくれるとしたら、農家がさらに米を

■図2-11　減反政策

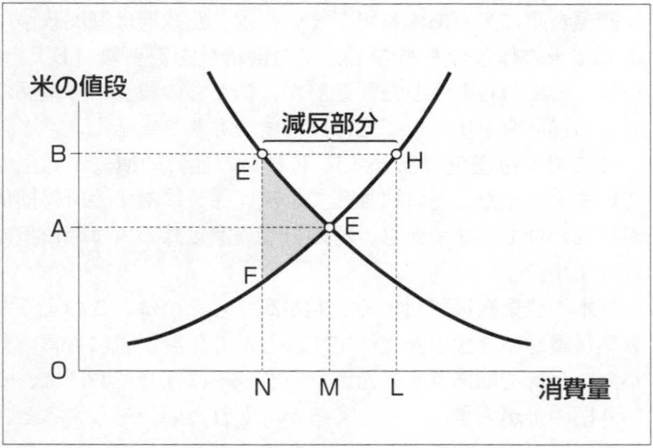

増産しようとするのは当然ですね。その結果、ますます、米が余るようになってしまったわけです。

私たちが前の章で見てきたような需要と供給の関係を無視する政策がつづけられた結果、米が貯蔵倉庫からあふれんばかりになったため、農水省は米の値段を下げるかわりに「減反政策」を始めたのです。減反政策とは、耕作地の一定割合を休耕地にすることを義務づけ、そのかわりに、減反に協力したことに対する見返りとして政府が農家に所得補償《ほしよう》をする制度です。

上の図2−11は米の価格維持と減反政策が米に対する需要と供給をどう歪《ゆが》めたかを示しています。本来の均衡はE点です。米の価格はOA、米の消費量はOMとなるはずです。しかし、政府が米の値段を高く設定したため（OB)、農家は米を増産しようとしました（OL＝BH)。その結果、E′H

（＝ＮＬ）の米が余ってしまったのです。

貯蔵倉庫に米があふれてしまい、困った政府は減反政策によって米の作付けを減らし、米の供給量を需要量（ＢＥ′＝ＯＮ）まで減らしました。政府が、私たちの税金から減反に対する補助金を出したことはいうまでもありません。

ここでも薄墨色の部分（Ｅ′ＦＥ）の社会的損失が発生しています。また、それに加えて、減反部分に対する所得補償が行なわれていますから、その分が農家以外の人々の負担になります。

日本の農業政策に対する批判が高まったのは、このような農業保護がゆきすぎたためです。しかし、農水省にも言い分がないわけではありません。マーケットに任せておけば、安い外国の米が大量に入ってくるかもしれない。そうすると、米の値段が下がって消費者は得をするかもしれないが、農家は米づくりをやめてしまうだろう。将来、外国からの米輸入が何らかの事情でできなくなったら、日本人は餓死しますよ、それでもいいんですか、というのがいわゆる「食糧安全保障」の議論です。

この議論はたしかに説得力があるように見えるのですが、問題は、この議論を乱用しすぎて、日本の米づくり農家を保護しすぎたため、日本の農家がますます国際競争力を失ってしまったということにあります。本当の食糧安全保障論は、自国の農業の競争力を高めるような方向で議論されなければならないと思います。

以上のふたつのケースの説明はちょっとむずかしかったかもしれません。ただし、今の段階でこれをすべて理解できなくてもけっこうです。ただ、参入規制があるために、消費者がずいぶんと高い値段を支払わされること、配達してもらう荷物や消費されるお米もずいぶん少なくなることをしっかりと理解してもらえば十分です。そして、このような経済的規制は基本的には、消費者の利益を犠牲にして、生産者を保護するものであるということを理解してください。

ただし、米の例にもあるように、需要と供給を一致させるというマーケットメカニズムの議論だけで、規制の善悪をすべて判断することができない場合ももちろんあります。こういったケースについては、第8章で詳しく議論することにします。

さて、以上でマーケットメカニズムのすばらしい部分を説明してきました。ところが、じつは、マーケットは万能ではありません。人間がいろいろなまちがいをするように、マーケットも需要と供給を調節することができず、「失敗」してしまうことがあります。さらに、マーケットそのものを最初から「我々には必要ない」と考えた人々（社会主義者）もいたのです。次は、そちらの側からマーケットを見てみましょう。

第3章

社会主義はなぜ失敗したのか。

マーケットのない社会では、
需要と供給が出会う場がありません。
つまり、情報がない。
誰が何を欲し、何をどのように売りたいか、どこにいけば買えるのか、
すべてを官僚がかってに決めてしまうのが、
社会主義の国でした。

マーケットは
民主主義そのもの

私たちが自分の欲望に従ってものやサービスを選択し、そのかわりにお金を払うという行為をもう一度考えてみましょう。

私たちの選択は予算に制約があるということはありますが、その範囲内ではまったく自由です。自分がよいと思った商品にお小《こ》遣《づか》いをつぎ込めばよいのです。この行為は政治の世界における投票行為と基本的には同じです。

お金は選挙するときに用いる投票用紙にたとえられます。これがいいと決めて、投票する、つまりお金を払う。多くの投票を集めたもの、すなわち人気をよんだ商品はたくさん売れ、そのような人気商品を供給した会社は発展していきます。逆に、誰も買ってくれない商品を供給した会社は消えていきます。人気のある政治家が当選し、人気のない政治家が落選するのとほとんど同じですね。

つまり、マーケットメカニズムは経済活動の方向を決める上での民主主義システムだと言えるでしょう。どの商品が売れ、どの会社が発展するべきか、あるいはどの商品が不必要で、どの会社が倒産したり赤字になるべきかということを民主主義的にお金で投票して決める仕組みです。多数決でみんなの意見が政治に反映されるように、人々の購買行動を通じて、どのような商品が、どのような価格でマーケットに出されるべきか、どの企業が利益を上げ、どの企業が赤字になるのかということが民主的に決められているわけです。

マーケットが需要と供給を調節し、何が、どれだけ生産されるべきかを決定する中心的役割を演じている社会を、市場経済、もしくは資本主義社会とよびます。マーケットメカニズムが働いている社会は、基本的に民主主義の国だと言えるのです。

逆にいいますと、マーケットのない社会は民主国家とは言えません。なぜなら、マーケットのないところでは、人々の欲求が生産者に伝達されることがないからです。そのような場合、人々が欲しいものが何であるかを十分把握しないまま生産計画をつくってしまいますから、たいていの場合、消費者の望まないものばかりが生産されるということになります。これでは生活は惨《みじ》めですね。

中国は基本的に社会主義の国です。政治的には共産党独裁であり、西側でいうところの総選挙のような投票制度は存在しません。しかし、経済については、経済特区という特定の地域をつくり、そこではマーケットメカニズムを奨励《しょうれい》しています。

また、そこでは生産設備を私有財産として所有することを許しており、会社をつくり利益を上げることもＯＫです。とくに、外国資本が入ってくることに対しては、さまざまな優《ゆう》遇措置《ぐうそち》をとっていますから、広東省の特別区には大量の外国企業が工場を建て、その結果、中国経済はかなりの発展を見ることができました。

現代中国では、政治的には社会主義、経済的にはできるだけ市場を活性化しようとしているので、しばしば中国の体制は「社会主義市場経済」とよばれています。問題はこのような体制が長期的につづくかどうかということですが、おそらく中国経済が一定水準以上に到達するまでの間、このような体制でもそれなりの成功を収めると思われます。

しかし、中国経済がある程度以上に発展し、真の豊かさがもたらされるようになったときには、社会主義を放棄せざるをえなくなるでしょう。なぜなら、経済活動で完全に自由を保証し、人々の「選択の自由」を許しておきながら、政治的決定については独裁制を維持するなどという矛盾した仕組みがいつまでもつづくはずがないからです。マーケットメカニズムの民主主義的な利点を知った人たちは、やがて政治的な面での民主主義をも強く要求するようになるはずです。

実際、市場経済の優位性は、1989年のベルリンの壁崩壊や、ソビエト連邦の崩壊によって、歴史的に証明されたところです。人々の多様な欲望を民主主義的な投票によって生産する側に伝える手段としてのマーケットは何ものにも代えがたい力をもっていたということです。

この意味では、市場の本当の機能は、そのすさまじい「情報処理能力」にあると言えるかもしれません。

すなわち、何百万、何千万、あるいは、何億人という膨大な消費者の欲望を詳細に、そしてきわめて巧みに生産者に伝え、人々が真に必要としている商品の開発、供給を進んで行なわせるというマーケットのもつ「情報処理能力」こそ、マーケットエコノミーの本当の強さだということです。このすばらしい「情報処理能力」のおかげで、私たちはお金さえ持っていれば、いつ、どこでも、欲しいものが手に入る「魔法の玉手箱」のような社会に住むことができているのです。

それでは、社会主義国はどのように経済資源の配分問題を考えていたのでしょうか。すなわち、どのような商品を、どれだけ、どのような方法で、いつつくるべきかという問題に対して、どのような考え方をもっていたのでしょうか。このことで、マーケットは人類の大発明だという意味がより深く、正確にわかってくるはずです。

「情報」はなぜそれほど重要か

マーケットのない社会のことを考えてみましょう。そこでは、需要と供給が出会う場所がありません。いや、社会主義国だって、お店はあります。ただ、そこには魅力のとぼしい、誰も欲しがらないような平凡な商品が並んでいるだけです。たまに、すばらしく瀟洒《しようしや》な品物もありますが、たいていは外国製で値段は目玉が飛び出るほど高いでしょう。

なぜ、社会主義国の店には、つまらない商品しか置いていないのか。それは、消費者が欲しがる品物が何であるかという情報を集める必要も意欲も、また機能も店にはないからです。店の仕事は、官僚が決めて工場につくらせた品物を店に並べて、お客が買ってくれる量だけ売ることです。

なかにはよい品物もあって、飛ぶように売れてしまうかもしれません。しかし、それだけのことです。別に商品が飛ぶように売れようが、あるいは、まったく売れない状態がつづこうが、店の従業員たちの給料は決められたとおりに国から支払われるだけです。

たくさん売って利益を上げたから給料が上がるということがありません。逆に、何も売れなくたって、別に倒産するわけではありませんから（社会主義国には企業倒産は基本的にない）、何も困らないわけです。社会主義国の店がびっくりするほどお客に無愛想なのはこのためです。

資本主義国のお店ならどうでしょう。何が売れるか、何が売れないか、このことを必死になって探し当て、できるだけ売れるものだけを店に置こうとするはずです。そうしないと、従業員の給料も払えませんし、店は大赤字になってすぐにつぶれてしまいます。消費者にどれだけ喜んでもらえるか、ということが店の収益を決めますから、店員の接客態度も重要視されます。無愛想な店員はすぐにクビになります。

売れるものは、メーカーに追加注文がどんどん入りますし、逆に売れないものはどんどん返品されてきます。自然と消費者が欲する商品だけが勝ち残って、生産されるようになります。消費者が望まないものはたちまち生産中止になります。

ところが、社会主義国では、利益を上げるということは「悪」なのです。社会主義国では、私有財産を認めていないため、個人がお金儲けをして、財産をつくることを否定してきました。だから、お店が儲からなくてもいっこうにかまわないのです。お店に売れ残りの山があっても誰も気にもとめないのです。生産計画を決める役人に対しても、何が売れて、何が売れないという情報はほとんど入りません。

マーケットがないというのは、およそこのような状況を言います。消費者の欲求が生産側にいっこうに伝わらないのは、利益という概念や私有財産というものを禁止しているからです。

結局、生産計画を決定する官僚のところには、消費者がどのようなものを望んでいるかという情報はほとんど入ってきません。消費者が望んでいるものは何かという情報がないまま、官僚は生産計画をなかばあてずっぽうに決めなくてはならないのです。自転車何台、ブラウス何着、家を何軒、ウオッカを何ケース、下着をどれくらい、という具合です。しかも、自転車といっても、ママチャリもあればマウンテンバイク、ロードレーサーもあれば、チタン製の自転車、折りたたみの旅行用自転車など、何百種類もの自転車があるのです。こんな複雑な消費者の好みを一介の官僚にわかるはずがありません。

その結果、自転車はごく平凡な黒塗りの１種類しかつくられないということになります。ブラウスにしても、資本主義国のデザインなら何万種類とありますが、これも結局、せいぜい数種類のブラウスを何百万人の女性が同じように着るという状態になりかねません。

消費者は王様じゃない

このように、官僚が何をどれだけつくるかを決める計画経済は消費者にとっては最悪でした。生産計画を立てる役人には、個々の消費者が何を望んでいるか知る由《よし》もないからです。役人が人々の欲しがる商品の種類とか量、はたまたそのデザインや色彩を正確に知ることは不可能です。マーケットからの豊富な情報が毎日入ってくるわけではないからです。結局、情報がないままに、適当に、ほとんど自分の趣味で商品の種類や生産計画を決めていましたから、人々の多様な欲望を満たしてやることなど絶対不可能だったのです。たとえば、夏らしい涼しげなブラウスが欲しいとお店に行っても、そのショーケースにあるものは、ダサいものばかり。せっかく貯めたお金を持っていても、買いたい気持ちはしぼんでいくだけです。

お役所から言われたとおりの数量の製品をつくることができた工場長は、もう安心してそれ以上消費者の好みを研究したり、消費者が喜びそうなものをつくったりはしません。なぜなら、彼の仕事は、消費者の喜びそうなものをつくって利益を得ることではなく、上役の命令どおりに商品を納期までに生産するだけなのですから……。

平等を目指した高邁《こうまい》な社会主義の理想はすばらしかったのですが、人々が何を欲しているかという重要な情報を収集することができなかったために、人々の生活はいっこうによくならなかったわけです。

残念ながら人間はやっぱり最後は自分の利益を忘れることができないようです。資本主義経済では、消費者は自分の満足を最大にさせるように商品を選択します。好きでもないものを生産者がかわいそうだからといっていつまでも買ってくれるわけがありません。

企業経営者は会社の利益が最大になるように、消費者が喜びそうな新製品や新しいデザインを懸命に考え出したり、工場の生産システムをできる限り効率化して、競争相手よりも安い費用で生産できるようにとがんばります。従業員がやる気を出すように、いろいろなボーナス制度を考え出したり、従業員教育にお金を使ったりします。

つまり、資本主義社会では自分の利益を追求することを認めているわけです。だからこそ、みんな必死になってがんばるのです。アダム・スミスが言ったように、資本主義社会では、自己利益の追求が「見えざる神の手」、すなわちマーケットメカニズムを通じて全体の調和を達成するのです。

ところが、社会主義国では、自己利益を社会主義的な理想のために否定しました。その結果、誰も必死になって働こうとしなくなってしまったのです。やる気の喪失《そうしつ》です。たしかに、一生懸命やっても、やらなくても、何も大して変わらないのであれば、ごく一部の人を除けば、懸命に働こうとする意欲もなくなるにちがいありません。その結果、社会全体が停滞し、「やっぱり資本主義社会のほうがいろいろ矛盾もあるけどよさそうだ」ということになっていったのです。

この動きを加速したのは、コンピュータや通信技術の飛躍的な発展です。情報技術の進展で、さまざまな情報が国境を越えて世界を駆けめぐるようになりましたが、その結果、資本主義国の豊かで多様な消費生活、自由な活動の様子がいやおうなく多くの社会主義国に漏れ伝わるようになりました。

社会主義国の指導者たちは、「自分たちにつごうの悪い情報」は遮断《しゃだん》し、新しい技術などの「つごうのよい情報」を取り入れたいと思ったのですが、「つごうの悪い情報」を遮断しようとすると、「つごうのよい情報」も入ってこなくなってしまいます。そうすると、技術開発競争に遅れてしまい、資本主義国との競争に敗れてしまいます。逆に、どんな情報でも許容すると、西欧の豊かな生活を見聞した消費者からの体制批判が噴き出てきます。

実際には、情報化の進展で西側のいろいろな情報は、指導者たちが止めようとしても、東側にどんどん入ってくることになりました。その結果、資本主義国の豊かな生活に憧《あこが》れた社会主義国の人たちは、徐々に社会主義体制に絶望しはじめたと考えられます。社会主義を崩壊させた真犯人はどうやら「情報革命」であったようです。

社会主義の誕生と死

《世界全般を見ても、イデオロギーに閉じこもり、官僚的中央集権をとる体制で、経済や社会が力強い発展を見せることは稀《まれ》である。消費財ひとつつくるにも、文字どおり政治局レベルの政治的決定が必要であり、70年間にわたるこのようなシステムの支配は、けっきょく世界市場で競争できるような製品を一つもつくり出さなかった。これが、スターリンが残

し、ブレジネフが踏襲した遺産である。》

どうでしょう？　少しばかりむずかしい言葉が見えますが、とても痛烈な意味がここには込められています。ここに引用した文章は、現代アメリカの政治学者、ズビグネフ・ブレジンスキーが『大いなる失敗——20世紀における共産主義の誕生と終焉』（伊藤憲一訳／飛鳥新社、1989年）という旧ソ連について書いた本にあるものです。

著者は、ソ連圧政下のポーランドからアメリカに亡命した人で、苦学したすえにコロンビア大学教授となりました。専攻は共産主義の政治学。教授のとき、当時のアメリカ大統領、カーターに招かれて、特別補佐官となりました。その前のニクソン政権でやはり特別補佐官であったヘンリー・キッシンジャーと並び称せられるすぐれた政治学者です。

この本が発表されたのは、1989年にあの「ベルリンの壁」が取り壊される直前でした。ベルリンの壁は、ドイツという国をふたつに分けていたと同時に資本主義と社会主義とを分断するシンボルでした。これが壊されたことは、社会主義の終わりを意味したのです。ブレジンスキーはそうなるであろうことを正確に予測しました。

先の文章にあるイデオロギーは、ここでは共産主義、社会主義思想のことです。スターリンは、レーニンという革命家がつくったソビエトを独裁者として軍事的・警察的な大国にした人。ブレジネフは、1960年代後半から70年代にソ連という国を核大国にした独裁的な指導者です。

スターリンもブレジネフもこの本が出版されたときにはすでにこの世にいませんでした。レーニンがロシアで共産主義による革命を起こし、ソビエト連邦を宣言したのが1917年（10月革命）。以来、その最後の指導者、ゴルバチョフがエリツィンに政権を譲った1991年までの約75年間、社会主義体制がつづいたのです。

社会主義の理想と現実

「ひとつの妖怪がヨーロッパを歩き回っている——共産主義という妖怪が」

この文章ほど19世紀なかばから20世紀にかけて多くの人に読まれた文章はほかになかったでしょう。『共産党宣言』という19世紀なかばに書かれた本の冒頭の一節です。

フリードリッヒ・エンゲルスというドイツの社会主義運動家と同じドイツのカール・マルクスという思想家・経済学者が共同で、1848年に発表したこの本は、その後、社会主義に心を奪われた人々すべてに読み継がれました。さしずめ社会主義のバイブルで、もしかすると本物のバイブルに次ぐ大ベストセラーかもしれません。

この本がなぜ人々の心に響いたのでしょう？　それは、産業革命以降の資本主義社会があまりにも労働者にとって過酷だったからです。じつは、この本は民主主義を実現する目的で書かれた、と言ったらキツネにつままれたと感じますか？エンゲルスとマルクスはそう主張したのです。

ふたりは、世の中をブルジョワジーとプロレタリアートというふたつの階級に分けました。前者は支配階級、すなわち資本家。もう一方は労働者階級。このふたつの階級が対立しているのが世の中だと見たのです。そして、ブルジョワジーはプロレタリアートをこき使い、ろくにお金を払わない不届き者だと言うのです。このことを搾取《さくしゅ》と言っています。

ふたつの階級は闘い、やがてプロレタリアートが勝ち、ブルジョワジーがなくなる。そのとき世の中の企業・産業はすべて国有となり、労働者はみな貧富の差がなくなる。その後、階級自体が消えてなくなり、真の意味での平等社会が実現する。これが民主主義の理想の形である、とふたりは主張したのです。その日を迎えるために、「万国の労働者よ、団結せよ！」と本の最後を結んでいます。

この宣言が発表された当時のヨーロッパの先進国は、産業革命によって工業化がすさまじい勢いで進んでいました。労働時間や、最低賃金法、年少労働を禁止する労働基準などが十分に整備されていなかったため、工場で働く労働者たちの労働条件は悲惨でした。たしかに労働者たちにとどまらず家族の暮らしぶりは、目を覆《おお》うばかりにひどかったため、資本家による労働者の搾取を訴え、労働者による平等社会を目指そうという社会主義の理想は大いに共感をよんだのでした。

それからしばらくして、ヨーロッパのはずれ、産業革命に乗り遅れていたロシアで『共産党宣言』を大事に温めていたのが、若きレーニンやスターリンでした。彼らも初めはすべての人々が平等な社会になれば、幸せになれると考えたのかもしれません。しかし、理想に燃えてつくった社会主義国、ソビエト連邦が動き出したとき、そこには理想とはまったく逆の官僚支配の強権的な中央集権国家ができあがってしまったのです。

貧富の差をなくして平等な社会を実現するために彼らがとった方法は、官僚たちが何でも決めてしまうシステムでした。たとえば旧ソ連だと、首都モスクワの政府機関があるクレムリンとよばれる官庁街の立派な仕事部屋にデンと居座った役人が、ものを生産する工場や農場、工事の現場などを自分の目でろくに見ることもせず、部下の報告だけを信用して、実情からずれた生産量などをかってに決めていたのです。

結局のところ、マーケットを使わない官僚システムによる計画経済が社会主義国の命取りとなりました。

やる気が出ない
計画経済

計画経済は国民の生活水準が劣悪なときにはそれなりにうまくいっていました。旧ソ連でも1950年代末から1970年代初めまでは、比較的よかった時期がありました。遅れていた工業生産を増やし、アメリカに負けないように軍事力を増強するといった至上命令が存在した時代には、官僚が決めた生産計画でもそれなりに有効でした。しかし、時間がたつにつれて、とてつもないむだが発生しはじめました。

それは、効率的な生産方法を工夫するといった「インセンティブ」（人々のやる気を起こさせるための動機づけ）が計画経済の仕組みのなかに存在しなかったからです。

仮に100万トンの鉄鋼生産のノルマ（義務づけられた生産目標）を達成するために、300万トンの鉄鉱石が必要だとします。工場長はその翌年のノルマがさらに上がるのではとよけいな心配をし、担当の役人に「100万トンの鉄をつくるには、400万トンの鉄鉱石が必要です」とウソをつくかもしれません。役人は現場を知らないのでＯＫします。

効率的に生産すれば300万トンで十分なのに、400万トンの鉄鉱石を手に入れた工場長はニコニコ顔です。能率を上げるために労働者の管理を強化する必要もありません。少々の生産工程のむだがあっても、工場は予定どおり、100万トンの鉄を楽々と生産することができます。鉄鉱石が余れば、横流しすることもできます。

工場長の役目は命令された鉄の生産をノルマどおり無事に完了することだけであって、能率よくそれを達成したかどうかは二の次です。おまけに、ここには技術革新へのインセンティブがありません。技術革新を必死になってやって、100万トンの鉄をつくるのに200万トンの鉄鉱石しか使わない技術を開発しても、工場長には何もよいことがないのです。へたをすると、次の年には、100万トンの鉄をつくる計画に対して、200万トン以下の鉄鉱石しか支給されないかもしれません。「君のところは技術が進歩したから、鉄鉱石は150万トンでいいだろう」と言われてしまうかもしれないのです。こんなことになったら大変ですから、工場長は、ひたすら「100万トンの鉄をつくるには400万トンの鉄鉱石が必要だ」と訴えつづけることになります。

こんなことが全国の生産現場で起きたらどうなるでしょう。工場長にはいわゆる一生懸命に能率を上げて、できるだけ少ない鉄鉱石で鉄をつくるというインセンティブがないから、こんなことが起こるのです。生産工程を改善したり、新しい技術を開発する意欲も出てきません。こんなむだがあちこちで生じていては、ソ連の鉄鋼業が国際競争力をもてないのは当然です。いや、すべての産業でこんなことが起こったら、国の経済が元気を失うのは当然です。このようなやる気の欠如という問題は、旧ソ連をはじめ、東欧諸国など、多くの社会主義国で実際に起きていたことです。

ビル・ゲイツを生んだ
アメリカ社会

社会主義がなぜ大いなる失敗に終わったかをもう一度整理

して言いますと、官僚がかってに人々の欲望を判断し、まちがった資源配分をしてしまったために、人々の生活水準が上がらなかったということにつきると思います。その結果、人々は徐々に社会主義の理想に失望し、やる気を失ってしまったのです。

世の中を前進させる原動力は、なんといっても人々のやる気です。人々がやる気をもてば、生活は少しずつでも豊かになっていきます。成果を上げさせるためには、ごほうびが出るということを約束することが必要です。そういう動機づけをしっかりと与えないと、「どうせがんばったって、何も変わらないや」と思ってしまえば、がんばる人はいなくなってしまいます。

社会主義では貧富の差をなくしてみんなが平等になることを目指したのですが、大きな失敗は人々にインセンティブを与えることができなかったことにあります。そのため、社会の進歩が止まってしまったのです。

もう少し別の言い方をすると、インセンティブがあるために私たちを含め、資本主義国に住んでいる人々は、「明日は大金持ちになれるのでは」と夢を描いて勉強や仕事にがんばっているのです。こういうふうなインセンティブによって、がんばった人が億万長者になり、がんばらなかった人が貧乏になるのが資本主義社会の厳しいところです。その結果、社会全体はそれなりに豊かになっていきますが、貧富の差が拡大するということが当然起こってきます。資本主義体制のいわば泣きどころです。

人々に十分なインセンティブを与えながら、それほど不平等が進まず、みんながそこそこ豊かな生活を送ることが可能になる社会をつくることができるのかどうか。これが現代資本主義社会の大きな課題であると言えるでしょう。

世界中でいちばんお金を持っているビジネスマンは、アメリカ人実業家でマイクロソフト社の社長であるビル・ゲイツです。有名な経済誌「フォーチュン」によると彼の資産（現金だけでなく株券とか不動産などを合わせたもの）は1998年で約510億ドル。１ドル120円だとすると、６兆円を超える巨大な財産です。彼はそれをたった20年余りで稼いだのでした。彼は世にいう「アメリカンドリーム」を実現したのです。

世界でいちばん資本主義経済が発達したアメリカでは、自分ががんばりさえすればいくらでもお金持ちになれるチャンスがあります。ほかの国とは比べものにならないインセンティブ社会となっているのです。アメリカ人の多くは世界中で通用するアイデアとやる気があれば、ビル・ゲイツになれると信じているのです。

ビル・ゲイツがハーバード大学の学生だったときのこと。ハーバード大学はアメリカで最も古い一流大学で、皇太子妃殿下もそこの卒業生ですね。彼はそんな有名大学を２年生で退学し、しばらくして会社を起こしたのでした。辞める理由として「もうハーバードで知的な刺激を得られなくなったから」と豪語したといいます。そのとき、プライドの高いハーバードの教授たちは、「あいつは大バカもの」とカンカンに怒っていました。ところが、40歳かそこらで、ビル・ゲイツは世界一の裕福なビジネスマンになってしまったのです。こんなことは社会主義国ではとうてい起こりえないことです。

アメリカというインセンティブ社会は、やる気さえあればそういう天文学的な富を築けるところです。それもわずか20年という短い時間で。

マーケットメカニズムの偉大さは、人々に大きなインセンティブを与えてさまざまな新製品をつくらせたり、できるだけ効率的な生産方法を考え出させたり、消費者が喜ぶ商品やサービスを必死になって供給させたりする力にあります。社会主義は人類の偉大な発明物であったマーケットから自らを遠ざけることによって、人々からそっぽを向かれることになったわけです。

第4章

明日のために今日の消費をがまんしますか。

銀行に預金すると
利息がつく。
金利が生じたということです。
金利は、今の消費をがまんして、
将来の消費に回す人のためにあるプレミアム。

「今」を買うか、
「明日」を買うか

この章では、「時間」というものを経済学的に考えてみましょう。目の前には、普通の商品からサービスまで、欲しいものが玉手箱をひっくり返したように散らばっています。しかし、少し冷静に考えればすぐにわかることですが、今日食べるアイスクリームと明日食べるアイスクリーム、あるいは、１年先に食べるアイスクリームは同じものではありません。アイスクリームを今すぐに食べたいＡ君に、明日まで待ってと頼んでみたとしましょう。Ａ君はもし、今アイスクリームが食べられないなら、大変ながまんをしなければなりませんから、「明日まで待てというのなら、明日は２個くれますか？」と条件をつけるかもしれません。１年先なら、10個は約束してくれなければいやだと思うかもしれませんね。

お小《こ》遣《づか》いをもらったＢ子さんは、喜び勇んでお店に飛んで行き、チョコレートを買いました。一方、Ｃ君は「今使わないで、貯めてもっと殖《ふ》やしてから別の高いものを買いたい」と言って、お店にはすぐに行きませんでした。これを聞いたＣ君のお母さんは、お小遣いを貯めるなら銀行に預けなさいというのです。

Ｃ君は貯蓄をして「将来の楽しみを買おう」というのです。つまりＣ君は「今の満足」を犠牲にして（今の消費をがまんするという「機会費用」を払って）、「将来の満足」を得ようとしたのです。経済学でいうトレードオフです。ここでは、「現在の満足」か「将来の満足」かというトレードオフがあるということになります。消費を今しないで、貯蓄するという行為は、「今」の代わりに「明日」を買うという行為なのです。

お小遣いで今チョコレートを買ってしまったB子さんは、おなかいっぱい、おいしいチョコレートを楽しむことができました。がまんしたC君は、１年先には、利息分だけ余分にチョコレートを買うことができます。あるいは、チョコレート以外に欲しかったものを買えるようになったかもしれません。

さて、読者の皆さん。もし、お小遣いが１万円手に入ったら、どうしますか？　テレビゲームを買ってしまいますか？　あるいは、貯蓄に回しますか？　その選択もあなたの自由です。大事なことは、マーケットという概念は将来にまで拡大して考えるべきだということです。需要とか供給は何も「今の満足」を満たすためだけにあるのではありません。自分の将来の生活のことを考えるという経済行為は、現在の欲求を満足させることと同じくらい大切なのです。

将来の満足を手にしようとすれば、今あるお小遣いや予算をすべて使い果たしてはならないでしょう。将来の満足を考えたC君が銀行に行き預金したのは、C君が現在の満足の代わりに将来の満足を選択したからにほかなりません。ただし、大部分の人は、自分の所得の一部だけを将来の消費のためにとっておきます。この割合を貯蓄率といいます。日本の平均的な家庭では、税金などを支払ったあとの所得のうち、14〜15%を貯蓄に回します。

さて、C君のお母さんが勧《すす》めた銀行とはいったい何をしているところでしょう？

銀行は、基本的には人々からお金を預かり、その預金を企業に貸し付けるという仕事をしています。つまり、人々の貯蓄を企業の投資に橋渡しするという「金融《きんゆう》仲《ちゆう》介《かい》」(Financial Intermediary）が、銀行の基本的な仕事です。

「今の消費」をがまんして、定期預金してくれたC君には、銀行は満期後に利息をつけて支払います。銀行はC君のような人と何百万人の規模で取引しています。他方、そのようにして預かった資金を銀行は企業に貸し付けます。たとえば、チョコ・アイス社は、すばらしい新製品の開発に成功しましたが、工場を建てる資金が足りません。銀行はチョコ・アイス社のこれまでの経営内容と新商品の成功の可能性を審査した上で、貸し付ける決心をします。

かくして、C君たちの「今の満足を犠牲にして、将来の満足を買う」という決意は、金融仲介業者である銀行によって、投資という将来の満足を生み出すための企業行為に無事、橋渡しされました。企業が投資をするという場合、それは、企業が「将来の満足」を生み出すための商品をつくり出すための投資なのです。つまり、「将来の満足」を買いたい消費者と「将来の満足」を供給したい企業が、金融マーケットで取引したことになります。

もし、銀行がなければ、将来の満足を買いたいC君は利息や配当を払ってくれる会社を自分で探さなければなりません。このように、銀行を経由しないで、個人が企業に直接資金を出すことを「直接金融」とよんでいます。これに対して、銀行経由で資金が企業にまわる金融のことを「間接金融」とよんでいます。この点については、あとで詳しく説明しますが、いずれにせよ、銀行があるおかげで、誰が自分の預けたお金を借りてくれるかなどということにわずらわされることなく、安心して預金できたわけです。このことは借りるほうからみても同じです。結局、銀行という仲介機関を通して、貯蓄が投資に橋渡しされたことになります。

ところで、預金した人への「預金金利」と企業などへの「貸付金利」を比べると、普通は後者のほうが少し高くなっています。貸付金利と預金金利の差額（これを「利ざや」と呼ぶ）が銀行の収入です。銀行は、その収入のなかから銀行員への給料を支払うなど、銀行経営に必要な支払いをしなければなりません。ただし、以下では、簡便化のために預金金利と貸付金利を区別しないで、貯蓄と投資を結びつける唯一の「金利」が存在するものとして議論します。

現在と将来を
結びつける「金利」

このように、銀行にお金を預けると利息がつきますが、しかし、なぜ金利というものが発生するのでしょうか。

まず、資金を提供する人（預金者）が銀行にお金を預ける理由は、現在の消費をがまんする見返りとして利息を支払ってもらえるからです。100円を貯蓄すれば、１年後には105円になるとすると、利息は５％です。つまり、今の100円の消費を犠牲にすれば、１年後には５％余分に消費できるということですから、この５％というのは、現在の消費をあきらめることによって得られるプレミアムということになります。

他方、企業は工場などに投資することによって、将来の利益を得ようと考えています。工場を建てる資金を借りるために銀行にいってみると、５％の金利でお金を貸してくれることがわかりました。もし、読者がこの会社の経営者で、今投資をすることによって５％以上の利益を上げられる見通しをもてるなら、銀行からお金を借りてきて工場を建設するでしょう。なぜなら、もし、期待できる金利を支払う前の利益率が８％なら、銀行から借金することによって、差し引き３％の利益（８％－５％＝３％）が得られるからです。逆にもし、景気が悪くて期待できる利益率がもっと低ければ（たとえば

５％以下なら)、お金を借りようとはしないでしょう。

なぜ金利が発生するかといえば、その答えは、金利を払っても借金をしたいという企業と、金利を払ってくれるのなら現在の消費をがまんして、貯蓄したいという消費者が世の中にいるからです。

ここで再び、需要と供給のマッチングということが重要になってきます。もし、５％という金利で貯蓄される金額と、同じ５％という金利でお金を借りて投資したい会社経営者の資金需要がぴったり一致するなら、現在と将来の間をとりもつ５％という金利は「均衡金利」であるということになります。

仮に、10％の金利だったらどうなるでしょうか。今の消費をがまんして、１年後の消費を10％増やしたいと考えるＣ君のような人は増え、貯蓄は増えるでしょう。つまり、資金の「供給」は金利上昇とともに増加します。

他方、会社からみると、10％の金利でお金を借りると、少なくとも、10％の利益を上げられるような投資案件を見つけてこないと金利を支払えないので、これまで安い金利のときには喜んで借金をしていた経営者のなかには、借金を断念する人が増えるでしょう。つまり、資金に対する「需要」は金利が上がるにつれて減少します。金利がわずか２％だったらどうでしょう。貯蓄は減り、資金需要は急増するかもしれません。

P.91の図４－１には、均衡金利が決まる様子が描かれています。このグラフでは、10％の金利では資金供給（貯蓄）が資金需要（投資）を上回るため、資金がだぶつくことになります。その結果、金利はやがて低下することになります。２％という安い金利では、逆に資金需要が資金供給を上回るため、資金が不足し、やがて金利が上昇します。

■図4-1　金利は資金に対する需要と供給で決まる

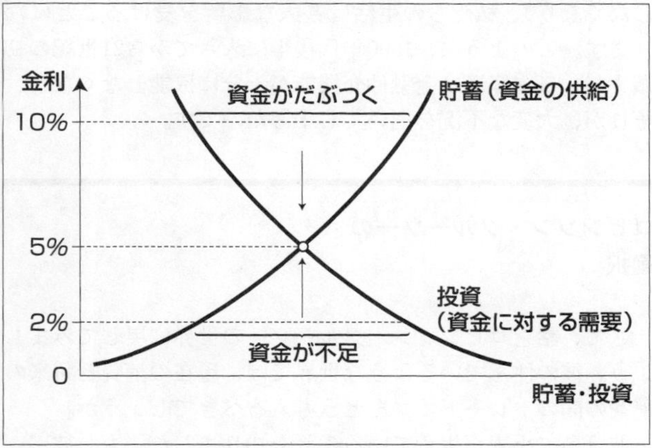

　均衡金利が５％という水準に決まる様子はほかの商品とまったく同じですね。唯一のちがいは、普通の商品の場合とちがって、供給者は個人、需要者は企業であるということです。

　ただし、昨今のように、銀行が倒産するなど、金融不安がひどくなると、危ない銀行には誰もお金を預けなくなるかもしれません（銀行に対する信用がなくなると自宅のタンスに現金をしまっておく「タンス預金」が増えることになります）。また、銀行が倒産する理由は、銀行が大丈夫だろうと思って貸し付けたお金が不良債権となってしまって、返済されなくなったからです。こういうことが増えると、銀行側は企業に対する貸し付けに慎重になります。こうなると、いわゆる「貸し渋り」が発生し、銀行の「金融仲介機能」がうまく働かなくなります。

　そうなると、貯蓄を投資につなぐ、あるいは、現在の消費と将来の消費をつなぐことができなくなり（金融市場が機能しなくなり）、私たちの生活は甚大《じんだい》な影響を受けることになります。このように、1990年代後半に入ってから21世紀の初頭まで、日本経済は金融仲介機能が十分に機能しなくなり、それが、大変な不況を招いてしまったのです。

ロビンソン・クルーソーの選択

さて、話をロビンソン・クルーソーの世界に戻してみましょう。彼の住んでいるような世界では、現在の消費と将来の消費の間のトレードオフをどう考えるべきでしょうか。

彼は島に小麦が生《は》えていることを知りました。もし彼が、現在の消費のことしか頭になくて、収穫できた小麦をすべて食べつくしてしまったら、翌年には、食糧不足で飢え死にしてしまったかもしれません。ロビンソン・クルーソーはそんなバカではありませんでした。今年穫《と》れた小麦の一部を種としてとっておき、来年のために、畑を耕してまいたのです。つまり、今年の消費を一部がまんして種としてとっておき（貯蓄）、来年の消費を拡大できるように投資したわけです。

このように、ロビンソン・クルーソーのような自給自足経済のなかですら、現在の消費と将来の消費の間の選択が重要な経済問題となるのです。しかし、ここには金融マーケットはありません。銀行などの金融機関もありません。なぜなら、ここでは貯蓄をする人と投資をする人が同一人物だからです。ロビンソン・クルーソーが残した種（貯蓄）は、自動的に来年の収穫のために畑にまかれる投資となるため、金融仲介など不必要なのです。これは、ロビンソン・クルーソーが捕った魚は誰とも取引されることなく、彼自身によって消費されるために、マーケットが成立しないのと同じです。

現代社会で金融マーケットや金融機関が重要なのは、貯蓄をする無数の人たちと投資をする無数の企業がマーケットで出会って、金利という現在の満足と将来の満足の間を結びつける「相対価格」もしくは「交換比率」を介して、取引できるからなのです。金融に限らず、マーケットが重要なのは、無数の人たちが需要者あるいは供給者として互いに必要なものを、直接出会うことなく、取引できることにあります。

金融マーケットは、現在の満足だけでなく、将来の満足も含めて、私たちの満足を最大にするための制度的工夫だといえます。C君のお母さんが勧めるように、銀行もそのひとつですが、しかし、金融市場は銀行だけで成り立っているのではありません。たとえば、いざというときのための保険もそのひとつです。現在の消費を少しがまんして、生命保険や自動車保険に入るのはなぜでしょうか。

それは、現在の消費を犠牲にして、何が起こるかわからない不確実な将来に備えた保障を買う行動です。お父さんが急に亡くなった場合、生命保険金が入ってくれば、子供たちの生活は何とかやっていけるでしょう。自動車保険も同様です。自動車事故を起こした場合、保険金で対応できますから、生活水準を下げなくてすみます。

保険マーケットは、現在の消費を少し（保険料分だけ）犠牲にして、将来の生活の保障を買うという選択を可能にしているという意味で、やはり、現在と将来をつなげているのです。現在と将来をつなげる市場を金融マーケットと定義する限り、保険のマーケットも金融マーケットの一部ですし、保険会社も金融業のなかに入ることがわかるでしょう。

個人と企業を結びつけるという意味では、株式市場はもっと重要です。私たちは、株式市場から会社の株を買い、株主になることができます。会社はそうやって集めた資本金を使って工場を建てるなどの事業を展開しているわけです。会社が必要な資金を調達するのは、何も銀行からだけである必要はないのです。

先にも述べましたが、銀行などの金融機関を経由して資金を調達する方法を「間接金融」、株式市場などを通じて、会社が直接一般の人たちから資金を調達する方法を「直接金融」とよんでいます。

間接金融では、元金や金利は保証されています。５％という金利で定期預金をすれば、銀行は満期がくれば必ず５％の金利を支払ってくれますし、元金も返してくれます。仮に銀行が倒産しても、預金保険機構というところが金利と元金の支払いを保証してくれます（日本の場合、2002年３月までは全額。それ以降は、元金が1000万円までのみ保証されることになっています）。

これに対して、直接金融の場合は、株主が受け取るのは金利ではなく、儲けに応じて配分される配当です。あるいは、儲けが上がると、株式市場で取引されているその会社の株価が上がりますから、それを売却すればいわゆる「キャピタルゲイン」（capital gain）が生じます。これは株式などの資産を売ったときの儲けのことを言い、資本利得と訳されます。しかし、投資したお金は元金保証というわけにはいきません。

直接金融は一般的に大きなリスクがあります。資本を提供した会社が倒産すれば、配当どころか元金すら返ってきません。しかし、逆にその会社が大儲《もう》けをしたら、株価がとてつもなく高騰《こうとう》して、ひょっとしたら株式を買った人は億万長者になることもありえます。

銀行預金のような間接金融は、通常、金利が固定されており、金利、元金とも保証されます。銀行が倒産しても、預金保険機構が保証してくれますから、比較的リスクは小さいのが普通です。

金融市場とひとくちに言っても、このように、ハイリスク・ハイリターン（危険は大きいが当たると大きな収益が得られる）の直接金融もあれば、ローリスク・ローリターン（危険は小さいが収益もそれほど大きくはならない）の間接金融もあるという具合に、かなり複雑です。

しかし、直接金融であれ、間接金融であれ、さまざまな金融機関が存在しているということは、私たちの前に、現在と将来をつなぐ多様な橋渡しの手段が用意されているということを意味しているわけです。C君のように、元金保証つきの安全な銀行預金を選ぶこともできるし、冒険が好きな人は、一攫千金《いつかくせんきん》を夢見て、株式市場に出かけていって投資をするという選択も可能です。銀行の預金金利が低すぎていやだという人は、国債や社債を買うこともできます。国債は国が国民から借金をするために発行している証書で、値上がりしたり、値下がりしたりしますから、銀行預金ほど安全ではありませんが、その分、利息は高く設定されています。

あるいは、これから円安・ドル高になるだろうと予測している人は、自分の貯金をドルにかえて、将来のドル高にかけるということも可能です。将来、ドル高になったときに、円に戻せば、自分の財産が殖《ふ》えることになります。グローバルエコノミーの時代にはこのような外貨建ての金融商品が街にあふれるようになるでしょう。

どうですか？　現在の消費を犠牲にして、将来の豊かな生活や夢を買うといっても、このように、個人個人の「リスクに対する好み」を満たすさまざまな形の金融商品が私たちの前には用意されているのです。ほかの普通の商品のマーケットだけでなく、発達した金融マーケットが、私たちの生活設計のためにじつに重要な役割を演じているということがおぼろげながらもわかってきたのではないでしょうか。

日本人は貯蓄おたく

2001年の統計によると、日本人の保有する個人金融資産（預貯金や保険、株式、国債、外貨預金などの合計で、土地や家などの実物資産を除く）の合計は1400兆円です。日本のＧＤＰ（１年間に日本国内で発生した所得の合計で国内総生産という。詳しくは第11章を参照してください）が500兆円程度ですから、平均すると、日本人は１年間の所得の３倍近い金融資産を保有していることになります。これはアメリカに次いで世界第２位です。

先にもちょっと触れましたが、私たちの家庭では、お父さんやお母さんのサラリーのうちだいたい85％が消費され、残りの15％ぐらいが貯蓄に回されます。これがアメリカだと個人貯蓄率は０～４％と日本に比べると大変低くなっています。さらに言いますと、日本の場合、金融資産の内訳を見ると、銀行預金や郵便貯金のような金利の低いものがほとんどであるのに対し、アメリカでは大部分の人が株式投資とか投資信託（証券会社などにお金を預けて、証券会社の専門家に資産運用を任せてしまう）とよばれる利回りの高い商品のほうにいっています。

実際、1400兆円のうち、800兆円近くが銀行への預金と郵便貯金だというのです。こっちは文句なく世界一。日本人は世界中から預貯金が好きな国民だと見られています。このことが果たしてかしこい資産運用の方法なのかどうかの話は別にして、とにかくこれまでのところ、銀行や郵便局のように、ローリスク・ローリターンという性格をもつ金融資産が大好きな国民だということは確かでしょう。ただし、日本の場合、大蔵省（現・財務省）が金融市場に対する強烈な規制をしいてきたために、アメリカのような多様なハイリスク・ハイリターン型の金融商品が十分にマーケットに出回らなかったということも大きな原因です。

ところで、なぜ日本人は欧米人に比べると貯蓄率が高いのでしょうか？　経済学では「ライフサイクル仮説」という理論を使って、日本の高い貯蓄率の説明をしています。

ライフサイクル仮説とは、「人間は若いときから死ぬときまでの一生涯のことを考えて、消費行動を決めている」という仮説です。お父さんやお母さんは「30代で子供をつくり、40代は教育にたくさんお金をかけ、50代で何とか家のローンをすべて返して、あとは退職して老後をゆったりと過ごしたい」などと考えながら、毎日の消費を決めていくのです。

ですから、基本的には、働き盛りのときには将来に備えて貯蓄をし、老人になったときには貯蓄を切り崩して、老後の生活を豊かなものにしようといった行動パターンになります。

この仮説が正しいとしますと、働き手の人口が多い国の貯蓄率は高く、高齢化社会の貯蓄率は低くなります。たしかに、つい最近まで、日本の人口構成は欧米に比べると若い層が多かったので、そのことが日本の貯蓄率が高い理由のひとつにあげられていました。しかし、日本もこれから急速に高齢化社会になってきますので、貯蓄率は下がってくると考えられます。

しかし、ある学者は、日本では高齢化が進んでも貯蓄率は下がらないと主張しています。その理由のひとつは「ダイナスティ仮説」。ダイナスティとは王様の支配する王朝のこと。日本の大人は、年をとって孫のいる老人になったとき、孫たちにお小遣いをやって、そして慕《した》われたいと思っているというわけです。いつまでも王様でいたいのです。お小遣いぐらいあげられるおじいちゃん、おばあちゃんでないと、孫たちが寄ってきてくれない、という切ない気持ちがお年寄りに貯蓄させるのかもしれません。ちょっと悲しいですね。

もうひとつの理由は、日本の社会保障制度が欧米諸国に比べて不十分だとみなされているからです。

「ゆりかごから墓場まで」という言葉を聞いたことはありますか？　スウェーデンなど、一部の高福祉国家では、生まれたばかりの赤ちゃんのときから、墓場にいくまで、国が何の生活上の心配もないように社会保障制度を充実させてきました。しかし、日本はその点まだまだ不十分なので、足りない分は自分で貯蓄して補う必要があるというものです。

また、このごろさかんに報道されているように、少子化・老人大国化を突き進む日本にあって、今、サラリーマンや自営業の人たちの年金が心配です。私たちが働いて所得を稼いでいる間は、所得の十数パーセントを「社会保険料」として積み立てています。いつか、お父さんの給料袋の明細を見せてもらってみてください。「社会保険料」としてかなりの金額が差し引かれていることに気がつくはずです。

この社会保険料の一部は、健康保険に使われていますが、退職後安心して生活できるよう、年金のための積み立てをしているのです。しかし、高齢化社会になると、積み立てる人がだんだん少なくなり、年金を受け取る人の数が急速に増えるため、10年も20年も先には約束どおりの年金が受け取れなくなるのでは、という不安があるのです。

今はちゃんと積み立てているのに、いざとなると実際の受取額は、とんでもなく少なくなるか、それどころかまったくもらえなくなってしまう。老人ホームにも入れないばかりか、生活するのさえおぼつかないとみんなが感じているとしたら、あとは自力で老後のことを考えるしかありません。もう、政府は信用できない。だとしたら自分の身は自分で守らねばならない……。それだからこそ、今、貯蓄しなくては、と日本人ひとりひとりが感じはじめているのです。

ほかにもいろいろ理由はありますが、こういった要因が、日本で貯蓄率が著《いちじる》しく高くなっているおもな理由です。

名目金利と実質金利

これまで、金利という言葉をやや無造作に使ってきました。金利には「名目金利」と「実質金利」があります。このことを明確に理解しているのと、そうでないのとでは、経済現象の理解に大きな差が出ます。ちょっと面倒に思われるかもしれませんが、がまんして読んでください。

今、預金金利が５％であったとします。普通、銀行などに行って「金利は５％です」と言われたとしますと、それは「名目金利」のことです。名目金利が５％であることを読者は高いと考えるでしょうか。それとも、低いと考えるでしょうか。

じつは、ある名目金利が高いか低いかを判断するときには、常にインフレーションのことを考えなければなりません。インフレーションとは物価が前の年に比べて上昇していく現象です（物価が下がっていく現象はデフレーションです)。

５％の預金金利のとき、もしインフレーションがひどくて、物価が５％上昇していたとしましょう。銀行に100万円預金して、１年後に105万円を受け取ったとしましょう。このとき、物価はすでに５％上昇しています。とすれば、せっかく105万円になった預金の購買力（商品を買う力）は１年前とまったく変わっていないことになります。１年前に100万円で買えたものが、今では105万円に値上がりしてしまっているからです。

これでは、せっかく現在の消費をがまんして、１年後により多くの消費をエンジョイしたいと思っていた人はがっかりするでしょう。このとき、「実質金利」は０％だと言います。つまり、実質金利とは名目金利から予想される物価上昇率を差し引いたものと定義されます。

実質金利＝名目金利－予想される物価上昇率

同じ５％の名目金利でも、インフレーションがまったくない場合には、実質金利と名目金利は一致します。あるいは、デフレーションの場合には、物価が下落していますので、実質金利は名目金利よりも高くなります。

先に、金利が需要と供給で決まるという話をしましたが、じつはそこで決まる金利は実質金利です。なぜなら、私たちは、単にインフレーションのことを何も考えないで、５％の名目金利が高いとか低いということは言えないからです。ある預金金利（名目金利）が高いか低いかは、あくまで物価上昇率がどうなるかということを考慮して判断できることなのです。

このことは、資金を借りる会社側にとっても言えます。たとえ５％の金利を銀行に支払っても、１年後の会社が生産する商品の値段が５％も10％も上昇しているならば、利息はその商品を高く売ることですぐに支払うことができますね。しかし、１年後に商品の価格がまったく上昇していないか、逆に値下がりしているかもしれないと予想される状況では、５％の金利は非常に高いと認識されるはずです。「物価が沈静化していたり、物価が下がっているような時期（デフレ期）よりも、ゆるやかなインフレがあるときのほうが景気はよくなる」というのは、じつは、実質金利がインフレーションのあるときのほうが低くなる傾向にあるからなのです。

現在の日本経済は、歴史的にみても異常に低い名目金利の時代がつづいています。たとえば、私たちが銀行にいって、定期預金をしようとしても、（名目）金利は0.1％程度です。たしかに、ばかばかしくなるほど低い水準です。しかし、デフレが進行すると、消費者物価の上昇率はマイナスになります。消費者物価で測ったインフレ率がマイナス２％になれば、実質預金金利は、

0.1％－（－２％）＝2.1％

になります。

貸出金利でみても、（名目）金利は２％前後と、歴史的な低水準にあります（2001年現在）。しかし、世の中はデフレ状態で、物価は下がる傾向にあります。たとえば、企業取引のときによく使われる卸売物価は１％程度の下落を示しています。ですから、実質金利はかなり高い（３％程度）と考えられます。名目金利と実質金利の区別をしていない人なら、「こんなに金利が低いのに、どうしてみんな借金をして、家を建てたり、設備投資をしないのだろう」と言うかもしれませんが、実質金利のことを勉強した読者の皆さんは、もうそんなまちがったことを言う心配はありませんね。

もうひとつの
大発明が貨幣

さて現代経済のなかで、貨幣ほど珍重されているものは少ないですね。最近は、カードも出てきて、貨幣のかわりをするようになりましたが、カードも貨幣の変形したものと考えられます。

「分業」「マーケット」と並んで、「貨幣」はやはり人類最大の発明のひとつであるといえると思います。貨幣の役割は、ふたつあります。ひとつは、取引を簡単にしたということです（取引の効率化）。

ひとりで厳しい生活をしていたロビンソン・クルーソーのところに、奴隷生活から逃れてきたフライデーという男がやってきます。仮にフライデーの持ち物のなかで、ロビンソンの欲しがるもの、たとえばコンパスがあったとしましょう。フライデーはもうそれを必要とはしない。逆にロビンソンの持っているナイフが欲しくなった。ふたりともその価値が同じぐらいと判断し、交換します。これは、物々交換です。このとき、貨幣は登場しません。

ところが、高度の分業が発達した現代社会では、自分が欲しいものと売りたいものがちょうど相手の売りたいものと買いたいものである場合（欲望の二重の意味での偶然の一致）以外は、物々交換は成り立ちません。ロビンソンとフライデーのように、世の中にふたりしかいなければ、貨幣なんて不必要かもしれません。しかし、何万人、何百万人という人たちが、きわめて高度な分業を行ない、多様な商品を交換したいと思っている世界では、交換を効率的に行なうための貨幣の存在は絶対に不可欠です。

貨幣のもうひとつの役割は「価値（富）の貯蔵」という役割です。貨幣経済が発達していなかったころの金持ちは、富を貯蔵するために、お米や着物、刀などの武器や各地の名産品などを貯蔵するために、大きな「蔵《くら》」を建てました。しかし、今の金持ちはそんな必要がありません。お金を銀行に預けておけば、必要なときにいつでも引き出して、百貨店に買い物にいけばよいのです。物々交換のときには、お金で富を貯蔵することはできませんでしたが、貨幣経済のもとでは、お金で富を貯蔵しておけます。いわば、お金持ちは、百貨店を自分の「蔵」だと考えておけばよいのです。必要になったら、すぐにでも百貨店という「蔵」に行って、必要なものを取り出してくることができるからです。

貨幣経済は本当に便利だと思いませんか？　世界中ほとんどの国は、貨幣経済で動いています。物々交換というしちめんどうくさいマーケットではなく、お金さえ持っていれば何でも買えるようになったのは、人間が貨幣を発明したからです。有史以前では、今の貨幣のかわりに大きな石や貝殻を用いていたといいます。ほんの少し前までは、金（きん）が用いられてもいました。それが今や、小さな紙っぺら。その差たるや、とてつもなく大きいということがわかるでしょう。貨幣の発明は、人間にとって火の利用にも匹敵するほど偉大なことかもしれません。

日本銀行券と印刷された１万円札。ところが、１万円札を印刷する費用は１枚たったの10円ほどではないでしょうか？たった10円で印刷された１万円札が、１万円の商品と交換できるのです。貨幣というものの不思議、いやその大いなるフィクション（虚構）のことを考えていくと、人間って本当に不思議なものを発明したものだと感心させられてしまいます。

ハイリスク・ハイリターン再論

ハイリスク・ハイリターン、ローリスク・ローリターンについてはすでに説明しましたが、これから、日本の金融マーケットは大きく変わっていくと予想されます。そして、リスクの意味を私たちはしっかりと理解しておかないと、とんでもない失敗をしでかすかもしれません。そこで、もう一度、くどいようですが、ハイリスクとはどういうことかということについて述べておきます。

日本人には、欧米の人々に比べてとても堅実な貯蓄の癖があると書きました。しかし、そこから生まれる収益は本当に寂しいかぎりで、とても低い水準です。とくに、銀行預金や郵便貯金の場合は利子率は１％にも満たない状態です。

先に述べたように、預貯金の元本が消滅する心配はないが、そのかわり利息などの収益金がとても低い場合、そのような資産運用のやり方をローリスク・ローリターンといいます。文字どおり、危険は少ないが、見返りも少ないという意味。その反対が、ハイリスク・ハイリターンで、株式への投資や外国通貨建ての預金や債券への投資などがそれに当たります。

株式の場合、投資した会社の業績が予想以上に上がれば、株価が急騰《きゅうとう》し、大きな売却益が得られるかもしれません。しかし、その会社が山一證券や北海道拓殖銀行のように倒産してしまえば、１株1000円で買った株式でも紙くずに化けてしまいます。

ドルなどの外貨建てで買った金融商品の場合、為替《かわせ》リスクが発生します。たとえば、Ａ君は１ドル＝100円のときにシティバンクに100万円分をドルの１年もの定期預金で預けたとしましょう。利息は５％でした。このとき、１万ドルのドル建て預金ができたことになります。

まず、いちばん簡単なのは、為替レートが固定されていて動かない場合です。このときは、１年後のＡ君の元利合計は105万円となり、５％の儲けとなります（以下、ドルと円を交換する場合の手数料は無視する）。

しかし、現実には為替レートは、毎日のように激しく変動しています。もし、１年後に為替レートが１ドル＝120円と「円安」になっていたとしましょう。このとき、Ａ君がドル建て定期預金を円にかえたとしますと、Ａ君の元利合計は、

10,500ドル×120円＝1,260,000円

となり、Ａ君の儲けは26万円にもなりました。収益率はなんと26％にもなりました。Ａ君の投資は見事に成功したといえます。

ただし、逆に、１年後の為替レートが１ドル＝80円と「円高」になってしまった場合、元利合計は、

10,500ドル×80円＝840,000円

となり、Ａ君はなんと16万円も元本を減らしてしまうことになります。こんなときＡ君は「ドル預金なんかしないで、金利は低くても円の定期預金にしておけばよかった」と悔やむかもしれません。円建ての定期預金利息が１％だったとしたら、１年後の元利合計は101万円になるからです。

為替レートがまちがいなく「円安」になるのなら、誰もがドル建て預金をするでしょうし、「円高」の可能性が高ければ、円で預金するほうを選ぶ人が多いでしょう。もし、「円安」になる可能性が50％、「円高」になる可能性が50％であったとしたら、読者の皆さんはどうしますか？　ドル預金をしますか？　それとも円預金を選びますか。

金融市場がグローバル化するということは、誰もがこのよ

うな選択に直面するようになるということなのです。リスクを好む人なら、おそらくドル預金をして高い収益を目指すでしょう。しかし、その場合は、損失をこうむることも覚悟しておかなくてはなりません。慎重派の人なら、円預金でがまんするでしょう。このように、ハイリスク・ハイリターンを選ぶのか、ローリスク・ローリターンを選ぶのかは個人個人の選択に任されているわけです。

今までは基本的に元本保証の、しかし、低利息の金融商品（銀行預金や郵便貯金）が中心でしたが、今や、金融ビッグバン（後述）が始まり、日本人も世界の金融機関や世界の金融市場と直接取引できるようになってきました。そして、ハイリスク・ハイリターンな金融商品もたくさん出回ってきています。

このことは大変喜ばしいことです。なぜなら、私たちにとって、「選択の幅が広がる」ことは常によいことだからです。民主主義の原点は、私たちに選択の自由があることです。選択の自由があるから、マーケットメカニズムがうまく機能するわけであって、もし政府が「あれをやってはいけない、これもいけない」と選択の自由を奪いすぎますと、経済は発展しないのです。社会主義経済の失敗についてはすでに詳しく見たとおりですが、社会主義経済は計画経済であると同時に、徹底した規制経済だったわけです。

ただし、自由には常に責任がつきまといます。ハイリスク・ハイリターンを求めるのは個人の自由ですが、失敗して元金がなくなったといって政府に泣きつくことは許されません。あくまで、個人が自分の責任で選択したことですから、その結果については自分で責任をとる覚悟が必要です。これからは誰かに責任をとってもらおうとはせずに、自分で選択した決定には自分で最後まで責任をもつという自己責任の原則が不可欠です。

これまで、日本人はどちらかというと「お上《かみ》任せ」のところがありました。何か困ったことがあると、すぐ政治家や官僚に助けを求めがちでした。これでは自己責任はまっとうできません。自己責任がまっとうできないと、官僚や政治家は「じゃ、私たちの言うとおりにしてください」と言って、選択の自由を奪おうとするでしょう。自己責任のないところに選択の自由はない。選択の自由のないところに市場経済は発展しない。このことを読者は十分、胸の内にしまっておいてください。そうでないと、日本経済は21世紀になっても低迷をつづけたままになることでしょう。

金融ビッグバンが始まった!

日本でも金融ビッグバンが始まりました。ビッグバンとはもともと宇宙創成の大爆発を意味する天文学の用語ですが、今やそれが経済の分野で頻繁《ひんぱん》に使われています。その意味は、従来、政府の保護政策によって競争から身を避けていた業界の規制が撤廃《てっぱい》され、世界のマーケットと競争できるように自国のマーケットを世界に開放することです。今までは小さな国内市場で、政府に守られながら会社経営をやってきた日本の金融機関が、世界の市場に躍り出て、世界の強豪と本格的に競争しようというわけです。まさに、ビッグバン的な大変化ですね。

銀行や証券、保険など、日本の金融業界は長い間大蔵省(現・財務省)の手厚い保護のもとにありました。外資系金融機関が日本市場に入ってこようとしても、さまざまな規制があって、なかなか思うようなビジネスができませんでした。

日本企業同士でも、銀行が証券業を営んではいけないとか、生命保険会社は自動車保険や火災保険などの「損害保険」を扱ってはいけないといった業務規制が非常に厳しかったのです。大蔵省は、このような規制をしくことで、銀行や保険業界の競争を制限し、倒産する会社を出さないという政策（護《ご》送《そう》船団方式という）をとってきました。

しかし、規制を長くつづけていると、世界の潮《ちょう》流《りゅう》に置いていかれます。アメリカやイギリスの金融機関が世界のマーケットを相手にしのぎを削《けず》っている間、日本の金融機関は競争から隔離《かくり》された安全なところでゆったりと営業していたわけです。そんなことをつづけていると、どうなるでしょうか。はっきりしてきたのは日本の金融機関の競争力の欠如《けつじょ》という問題です。

それもそのはず、もし長い間、町内会の運動会しか経験しなかったら、オリンピック競技に出る実力は絶対につきません。日本の金融業界は、長い間の護送船団政策のためにまるで町内会運動会のような競争をつづけてきました。これではグローバルな競争に耐えられる実力をもった会社がほとんどなくなってしまうのも当然です。

しかし、現実には世界のマーケットは加速度的に統合されてきました。日本経済も世界の市場との関係をいよいよ深めざるを得ません。いわゆるボーダレスエコノミー（国境なき経済）になってきたわけで、日本の金融業界だけが鎖国状態にとどまるというわけにはいきません。そこで、日本政府もついにビッグバンを決意したというわけです。

今、銀行などが大変だと言っている理由のひとつは、今まで町内会運動会のような水準の低い競争しか経験していなかったのに、これからは世界の金メダル級の会社と対等に競争しなければならなくなったからです。

最近では、日本の金融機関が次々に外国の有力金融機関と提携《ていけい》したり、合併したりしていますが、これは外国勢と手を組まない限り、ビッグバンでは勝ち残れないという危機感の表われです。

でも、読者のみなさんのなかには「なぜ、ビッグバンをやらなければならないの？」「今まで、それなりにうまくやってきたのに、何も世界と競争なんかしなくても……」という素朴な疑問を抱いている人もいるのではないでしょうか。

しかし、外資系金融機関をいっさい日本に入れないでやっていると、第１に、日本の金融機関も外国に行って商売をすることは許されなくなるでしょう。

第２に、外国の競争力のある会社と競争することで、日本の金融機関も強くなっていくわけで、鎖国状態では決して効率のよい、すぐれたサービスを提供できる会社にはなれません。

第３に、消費者からみると、できるだけよいサービスを提供してくれる金融機関と取引したいわけで、外国の金融機関との取引が禁止されることは、大変な損失になります。

どうでしょうか？　これでもビッグバンに反対ですか？

いずれにしても、大変な大競争の時代がやってきたわけですが、若いみなさんにとっては、これは非常に大きなチャンスでもあります。なぜなら、ビッグバンになりますと、世界中の企業が日本市場を目がけて入ってきますから、若いうちにしっかりと勉強して、十分に能力を磨《みが》いておけば、そういった外資系企業で働くこともできますし、世界に雄飛することもこれまで以上にやさしくなるからです。

もう、狭い日本に閉じこもっている場合ではありません。私たち個人個人もビッグバンで、世界の中で活躍できる人材に育っていかなければならなくなったのです。

第5章

自分で会社をつくろう。

がんばっても、
がんばらなくてもあまり差がつかない社会から、
がんばった者が報われる社会へ。
日本がそういう社会に生まれかわれば、
日本の若者たちもやる気を出して、
ビル・ゲイツのような起業家を目指すはずです。

「結果の平等」から
「機会の平等」へ

少し前の新聞にこんなニュースがのったことがあります。

不況にも強いと、ずっと言われつづけてきたレコード業界の最大手の話です。その会社は、このところ携帯電話やテレビゲームに押されて売り上げがなかなか伸びない音楽ＣＤの現状をどうにかしたいと考え、社員のやる気を起こさせる方法を実行すると発表したのです。

社員といっても、音楽をつくる側のディレクターだけが対象らしいのですが、もし彼らが今後、新人のＣＤアルバムを20万枚以上ヒットさせた場合か、今までの実績を大きく上回って大ヒットさせた場合、いずれかの売り上げによって最高1000万円までの報奨金（ごほうび）をあげますということです。

ここで思い出してください。資本主義社会はインセンティブによってダイナミックに動いていることを。さらに、社会主義はインセンティブという考え方を否定したためにつぶれたということを。

じつは、そのレコード会社のような制度は、日本ではほとんど実現されてこなかったのです。この点で、日本は資本主義国でありながら、平等をことのほか重要視する社会主義の要素を色濃くもった経済体制の国だと言う人もけっこう多いのです。そして、そのことが成熟段階に達した日本経済を低迷させている原因のひとつではないかとも考えられています。

いずれにせよ、日本では、やる気を出してもあんまりインセンティブが受けられない、資本主義社会のなかではちょっとばかり社会主義的な要素のある国でした。とりわけ第2次世界大戦後の政策で、大金持ちをつぶし、極端な貧乏をなくし、みんな平等な生活をしていこうと考えたすえの結果でしょう。

「平等主義」という思想自体はすばらしい人類の理想ですが、人々のやる気を殺してしまえば、社会全体が停滞し、全員が貧乏になってしまいます。

ところで、平等には「機会の平等」と「結果の平等」があります。前者は、生まれや人種、性別などによって、人を差別してはならない、誰でも平等に競争に参加できるようにすべきだという考え方です。後者は、競争の結果、貧富の差ができてしまった、これでは競争に負けた人がかわいそうだから、何とかして競争に負けた人も、勝った人もあまり大きな差ができないようにしようという考え方です。

どちらがより重要かと言えば、私は「機会の平等」のほうだと思います。競技が始まる前から差別していては、才能は発掘できません。黒人プレーヤーの少なかったゴルフの世界でも、タイガー・ウッズが登場しましたが、これは黒人にもトーナメントに参加する資格を与えたからこそ、彼のような天才が出てきたのです。これは世界のゴルフ界にとっても大きなプラスになりました。

他方、「結果の平等」には注意が必要です。一生懸命やっても、大してがんばらなかった人とあまり結果が変わらないということになると、結局、誰も必死になってがんばらなくなってしまう可能性があります。従って、「結果の平等」は人々のやる気を奪い取らない程度のところでとどめておかなければなりません。

日本社会では、参入規制によって「機会の平等」を保証しないケースがあり、他方、「結果の平等」を年功序列制度

（賃金を年齢に応じて支払おうとする考え方）や累進《るいしん》課税制度（所得が高くなるほど、税率が高くなる税制度）などで保証するという傾向がありました。これをもう少し、「機会の平等」に重点を移していく必要が出てきたように思います。

そうすることによって、若い人たちをはじめ、やる気のある人たちに大きなチャンスが生まれてくるからです。そして、大きなチャンスが生まれると、多くの若者が我こそはとがんばりますから、日本全体が活気づいてくるでしょう。私は、日本社会が一刻も早くそのような社会になることを念願しています。

ストックオプション制度

これまで、日本人は第２次世界大戦の荒廃から立ち上がり、みんなで何とか貧乏から抜け出たい、進んだ欧米のまねをして追いつきたいとがんばってきました。みんなの生活水準を一定のレベルまで高めるということが、日本人の大きな目標でした。国民の生活水準が極端に低く、平等に分配しないと餓死する人が出てくるという状況のもとでは「結果の平等」も必要でした。こういった段階では、日本的な平等主義は団結して荒廃から立ち直るという共通の目的を達成する上では有効でした。これまではそれでよかったのです。

しかし、1980年代の後半くらいから、日本が先進国の仲間入りを果たし、経済が成熟段階に入ってきますと、それではうまく動かなくなってきたのです。よく言われるように、経済が曲がり角にさしかかっている今こそ、日本は真に革新的なアイデアを出せる国に変わらないと世界から置いてきぼりを食らうのです。いつまでたっても外国のアイデアを借りてきてアレンジしているだけでは、生き残っていけない、そうしないと、日本経済は沈没するかもしれないとみんなが感じているのです。

なぜ、経済が成熟段階に入ると、単なる「物まね」だけではやっていけなくなるのでしょうか？

それは所得（賃金）が高くなってしまったからです。賃金が低ければ、外国の技術を学びそれをマスターすると、同じような製品が安くつくれます。だから競争できるわけです。しかし、先進国になって、賃金が高くなってしまいますと、外国の「物まね」をしても安い商品はつくれないため、競争に負けてしまいます。

先の大手レコード会社の決意は、社員に十分刺激的なインセンティブを与えることによって革新的なアイデアを出させようとするひとつの試みです。今までの日本の会社では、同期は同じ給料をもらうというのが常識でしたが、それでは誰も本気を出してがんばらないということで、1000万円のボーナス支給を打ち出したのです。

アメリカのハイテク企業の間で、会社の経営者や社員にやる気を起こさせる方法のひとつとして広く普及しはじめている制度のひとつに「ストックオプション（stock option）」とよばれる制度があります。レコード会社の例は、社員に対する報奨金の制度でしたが、ストックオプション制度は、やる気を出していい成績を収めた社員、役員、社長らに対し、ごほうびとして現金のかわりにその会社の株（自社株）をあらかじめ決めた価格で譲渡することを言います。

たとえば、これまで１株1000円の株価をつけていた会社があったとします。それがある役員のすばらしいアイデアによって業績がとてもよくなり、それにつれて株価が一気に2000円となりました。株価はその後もぐんぐん上がるものと推測されます。ストックオプション制度を導入していた社長は、その役員にあらかじめ、自社株を1株1000円で1万株買う権利を与えていました。

株価が2000円に倍増したので、この役員は1株1000円で会社から株を買い、すぐにその場で同じ株を2000円で売れば、1株につき1000円の売却益を得ることができます。1万株では合計1000万円の利益を得ることになります。この役員はその後も自分たちが一生懸命にがんばって、画期的な製品をつくりさえすれば、株価がいっそう上がるはずと確信していますので、この権利をまだ行使しないでおこうと考えるかもしれません。

それから1年たって、株価がおおかたの予測どおり上昇し、4000円となったとき、この役員は株を今度は売りに出すと決めます。1株で3000円上がったわけですから、合計で3000万円の儲けです。

こんな制度があったら、読者の皆さんもがんばって株価を上げたいと思うのではありませんか？　アメリカではかなり以前からストックオプション制度を始めている企業が多く、しかも、ストックオプション制度を導入している企業のほうが、これを導入していない企業よりも業績がよいという調査結果が出ています。

かつて自動車メーカーのクライスラー社会長を務めたリー・アイアコッカというアメリカを代表するビジネスマンは、年収にして毎年何十億円も稼いでいたことがあります。日本人からみると、「いくらなんでも、もらいすぎじゃないの」と言いたくなりますが、じつは、彼もこの制度を使い、大金持ちとなったのです。

君もビル・ゲイツになれる！

全米一の資産家ビル・ゲイツの膨大《ぼうだい》な資産のほとんどは、自社株です。自分でつくった会社が成功して、株価が上がれば、たちまち大資産家になれるというわけです。アメリカ人はこのことをよく知っていますから、明日は自分もミニ・ゲイツになろう、いやなれると信じているのです。たしかに、アイアコッカやゲイツのような大金持ちになれる確率は決して高いとは言えません。しかし、アメリカの若者の心のなかには、がんばれば、ひょっとしたら、彼らのようになれるかもしれないという「アメリカンドリーム」が息づいているのでしょう。

通産省（現・経済産業省）などの調べによると、ベンチャービジネスを立ち上げる人の数は、日本の10倍以上にものぼっています。若者を奮い立たせるだけのアメリカンドリームがあるからこそ、今アメリカ経済はとっても元気なのです。インセンティブが経済にダイナミズムを与えている証《あかし》です。

現在のアメリカの若者たちでミニ・ゲイツを目指す人たちの多くは、シリコンバレーに集結しています。アメリカ西海岸、サンフランシスコから南に１時間ほど車で走ったところにあるコンピュータなどハイテク関連のベンチャービジネスが乱立し、激しく競争している地域です。また、ここには名門のスタンフォード大学があり、その卒業生もベンチャービジネスを始めることが多いのです。日本の有名大学卒業生が、こぞって有名大企業に就職するのとはまるでちがいます。彼らは大企業には夢がないと思っているので、よほどのことがない限り、大企業には就職しないのです。

ベンチャービジネスを目指す彼らは、中学生のころから「自分で会社をつくって、大金持ちになるぞ。今の時代だったらコンピュータ産業だろう。そのために、僕は一生懸命勉強してスタンフォード大学に入り、ビジネスに必要なことをすべて自分のものとして、すぐさま会社を起こそう」と決めてかかるといいます。アメリカのような競争社会で大金持ちになるためには、早くから自分の得意とするもの、好きなことを見極めないと、手遅れとなってしまいます。というより、早く自分で好きな仕事をしたくてたまらないとみえます。

彼らは少なくとも、自分の人生は自分の得意な、自分の好きな分野で思いきり羽ばたこう、と考えているのです。しかも、能力が抜群にあり、やる気満々の人ほどこういう傾向が強いのです。

偏差値しか頭になく、自分の偏差値に合った大学に親や先生の言うとおりにおとなしく入っていく。そして、結局ろくに自分が何者であるかなんてことを考えることもなく、先輩のたくさん入っている大企業に就職していく日本の学生とは大ちがいです。

日米の若者の考え方の差が、どうも最近の日米経済の格差に現われているように思えてならないのですが、どうでしょうか。

株式会社とは何か

ミニ・ゲイツたちは、学ぶべきものを必死になって学習してしまうと、そそくさと会社を起こしにかかります。そのほうが、すでにある会社に入るよりはるかにチャンスが大きいと思っているからです。自分のアイデアでベンチャー企業を起こし、世の中を動かし、そして大金持ちになる……まさにアメリカンドリームを実現しようというのです。そこで、手っとり早く、株式会社をつくります。

さて、株式会社と聞いて、具体的なイメージはわきますか？

会社を起こすのにもさまざまなつくり方がありますが、株式会社は代表的な例です。現在の日本では最低1000万円の資本金でスタートできます。

でも会社を起こそうと思っても、自分ではお金がない。そこで「私の才能にお金を払ってください。成功すればあなたには何倍にもしてお返しします」と広く出資者を募《つの》るのです。そこで株券をつくり、１株いくらと決めてお金を集める。もちろん出資する人は、会社を起こす人を信用し、「この人だったらひょっとするとひょっとする」と考えてのことです。多くの出資者を募り、お金が一定額以上集まれば、その総額を資本金として会社をスタートさせればよいのです。

株式会社のよいところは、たくさんの人々からお金を集められることです。自分の周りにいる友達や親類だけからでは、大した金額にはならないでしょう。しかし、アイデアが多くの人に認められると、多額の資本金が集まり、初めから大きなビジネスをスタートさせることができます。これもまた、選挙の投票のような、すぐれて民主主義的なものだと思いませんか？　つまり、どのベンチャービジネスに資本が集まるべきかということが、誰か政府要人の命令によって決まるのではなく、多くの民間出資者の民主主義的な評価で決まるからです。

もうひとつ重要な点は、株式会社への出資者は、出したお金の額までしか責任を負わないでよいという点です。たとえば100万円を投資したH氏の期待に反し、会社が大失敗して倒産してしまった。するとH氏の持っていた株券は何の価値もない紙くずとなります。しかし、たとえその会社に大きな借金があり返さなくてはならないとしても、H氏は100万円を損しただけですみ、それ以上の責任はまぬがれるというものです。

経済学ではこのことを、有限責任（Limited Liability）と言います。英語で株式会社のことを、たとえば「Nakatani Winery Company, Ltd.」などと表記されています。最後のLtd.は Limited の略。つまりこの会社の株主の責任は「有限」ですよと表わしているのです。

有限責任ですから、出資した額までしか責任がありません。だから、多くの人たちが気軽に資金を出す気になったのです。これが無限責任（Unlimited Liability）でしたら大変なことになります。株主は出資額を丸損するだけですまなく、住んでいる家など、自分が個人的に蓄積した資産すべてを借金取りにとられたすえに、へたをすると刑務所に入れられてしまうかもしれません。こんな責任を負わされるのなら、誰も資金を出そうとしないでしょう。その意味で、株式会社制度の発明は社会に眠っていた資産家の資金を世の中に引っぱり出し、資本主義を発展させる上で大きな意味をもっていたのです。

今日のような株式会社の最初のケースは1602年に設立されたオランダの「東インド会社」というのが通説ですが、その当時から、株主の有限責任というシステムで運営されたと言います。このやり方がおもしろいということで、その後、株式会社制度が全世界のすみずみまで浸透し、大いに発展したのです。たとえば、産業革命に出遅れていたドイツはアメリカやイギリスに追いつこうと、鉄鋼業などの重工業を盛んにしようと考えました。重工業はとてつもなく資本がかさみます。広く株主を募るのは当然でした。こうして株式会社制度は大きな発展を遂《と》げていったのです。

アメリカのベンチャーブーム

日本で、ベンチャービジネスを立ち上げようとした場合、なかなか出資してくれる人が見つかりません。日本では、銀行融資を中心とする「間接金融」が金融の主流を占めていました。銀行は基本的に借金の担《たん》保《ぽ》がなければ、お金を貸してくれません。「土地などの担保がないけれど、君の才能にかけてみよう」と考える銀行はほとんどないのが現状です。

理想的には、担保がなくても、十分な意欲と才能があり、事業の将来性に魅力があるとみなされるところに資金が集まり、新しいビジネスが次々に立ち上がっていくというふうになることが必要です。

アメリカでは年間約100万社が創業されると言われます。90年代に入ってから、経済がとても活発となっていることの現われです。そのほとんどがベンチャービジネスで、しかも半数は女性創業者。これに対して日本では年間で７万社しか、新規に企業が立ち上がらない状態です。経済のスケールでいうと、アメリカは日本のだいたい２倍程度の大きさですから、日本でも40万～50万社の新しい企業が創業されてもおかしくはないのです。いかにアメリカが創業ブームとなっているか、そして、いかに日本のベンチャービジネスが停滞しているかがわかります。

もっとも、そのアメリカでも、たとえ100万社ができたとしても、おそらく90万社くらいが事業に失敗して市場から退出していきます。それだけ、ベンチャービジネスのマーケットは厳しいものがあるのです。

ちなみに現在の日本では年間10万社くらいがつぶれているという統計があります。新しくできる企業数より、倒産して消えていく会社のほうが多いのです。これでは日本経済が元気になるわけがありません。実際、会社の数が減っている国で、経済が活況を呈《てい》しているというのは歴史上例がありません。それだけ今の日本は不況が深刻だということでしょう。

アメリカの若者たちは、たとえつぶれてしまったあとでもまた立ち上がろうとする傾向があります。起業家として何度もトライする姿が見られます。私も、シリコンバレーにはよく行きます。そこで、ビジネスに成功した人たちと話すことがよくありますが、彼らのほとんどは２回、３回と事業に失敗した経験の持ち主です。

大企業に就職して、安定した生活を送りたいと考えがちな日本の若者とはかなりの開きがあると思います。アメリカにはいくども自分の夢を実現させるために挑戦して、やがてベンチャーとは言われないような、がっちりとした企業に育て上げようというガッツのある人が多いのです。

夢を現金化できる 株式上場

そんな夢を描いて創業した若者たちが、次に取り組むのは「株式上場」です。

私たちも日ごろニュースやＣＭなどで「我が社はこのたび東証一部に上場しました」とか「ついに悲願の二部上場を果

たしました」などという言葉を耳にしますね。その「上場」とは、創業された会社が順調に業績を伸ばしたすえ、投資家や株主の信頼を勝ち取り、東京証券取引所（東証）などでその株が売り買いされるようになることを意味します。

上場を許されるには、会社の規模や利益など、厳しい基準をパスしなければなりません。立派な会社になったと、みなが認める証《あかし》と言っていいでしょう。いったん上場を許されると、その会社の信用度はいやがおうでも高まるのです。

上場するくらいになれば、その会社の業績や資産価値はかなりのものになっているはずですから、創業のときに投資して株主になった人たちにはかなりのキャピタルゲインが手に入るのが普通です。まさに、「夢が現金化された」といえるでしょう。

もっとも、東証で一部上場している会社の数は2000社ほどですから、その「敷居《しきい》」はとても高いのですが。そこで、大部分の会社はまず店頭市場というところに上場することから始めます。店頭市場に上場すると、証券取引所のような公開の場では売買はできませんが、証券会社の店頭に行けば売買ができます。ただし、日本では、店頭市場でも上場するための準備や、審査がかなりめんどうで、長い時間がかかってしまうのです。

最近では日本でも上場基準がかなり緩和されてきましたが、それでも創業して、店頭市場に上場できるようになるまでに、平均して20年近くはかかるといわれます。一方、アメリカでは平均するとわずか数年です。

アメリカではベンチャー企業でもすばらしいアイデアをもっていれば、必ずと言ってよいほど注目され、投資家がついてきます。そのような投資家を「エンジェル（天使）」とよんでいます。日本には、エンジェルになってくれるような大金持ちは非常に少ない上、上場するにもいろいろと条件が厳しく、たとえ夢をもつ若者が出てきても、その夢を「現金化」するまでの道のりはかなり遠いのです。日本でも上場基準をいっそう緩和して、若者の夢がふくらむような制度に改善していく必要がありそうです。

「エンジェル」の信頼に報いるため、起業家たちは必死になってベンチャー企業を成功させようと努力します。エンジェルになっている人たちも、自らベンチャービジネスで成功して財産を築き上げた人たちがほとんどなので、若いベンチャービジネスに対していろいろと助言を惜しみません。もちろん、それでも失敗は多いのですが、成功すると何十倍、何百倍もの配当金を手にすることも可能なのです。

「夢に挑戦する」ことが日本を救う

1990年代に入ってからのアメリカ経済は絶好調でした。一時は、日本経済の勢いがすばらしくて、21世紀には日本がアメリカを追い抜くのではないかと言われたこともありましたが、その日本は90年代以降、21世紀初頭に至っても依然として厳しい不況にあえいでいます。なぜ、こういうことになってしまったのでしょうか。

ひとつはいわゆるバブルの崩壊で、不良債権（銀行などが企業に貸し付けたお金で回収できなくなった貸付金）が大量に発生したことがあげられます。バブルについては、章を改めて詳しく述べたいと思いますが、株価や地価が実力以上に異常に上昇する現象です。

まじめにこつこつ努力しなくても、株や土地の投機に参加すれば、すぐに資産が２倍にも３倍にもなるということになると、誰もまじめに努力しなくなりますね。そして、バブルは風船とか泡《あわ》とかいう意味ですから、ある程度ふくらむと必ず破裂してしまいます。1987年ごろから始まったバブルは1990年代に入って破裂してしまいました。

バブルが破裂する直前は、株価も地価も異常に高くなっており、このときに株や土地を買った人はバブル崩壊によってとんでもない大損をしてしまいました。銀行から借りたお金も返せなくなりました。こうして、銀行は巨額の不良債権を抱えることになったのです。その結果、銀行の金融仲介機能がうまく働かなくなってしまいました。

もうひとつの理由は、日本経済が途上国でいる段階から先進国の段階にレベルアップしたということがあげられます。途上国でいる間は、欧米の物まねをやっていればよかったのです。アメリカやイギリスで成功したビジネスを日本でも始めると、たいていは成功しました。

しかし、日本経済が成熟し、欧米の物まねのネタがなくなると、今度は自分で、新しい事業を開拓しなければならなくなりました。日本もアメリカと同じように、ベンチャービジネスが大量に立ち上がり、そのなかからマイクロソフトやインテルのようなすごい会社がたくさん出てくるようになる必要がある、そうでないと、日本経済は決して元気にならない、そういう時代になったのです。

この意味では、日本の制度の多くは日本が途上国であった時代のままにとどまっています。中央官庁の官僚の力が強すぎますし、ベンチャービジネスにリスクを冒《おか》して資金を出してくれるエンジェルやベンチャーキャピタル（ベンチャービジネスに出資する会社のこと）が少なすぎます。そしてリスクに挑戦してたまたま成功し、収入が増えると、今度は高額の所得税が課せられます。

あるいは日本の教育制度は知識詰め込み型ですから、歴史の年代を正確に覚えている優秀な受験生はたくさんいても、自分で世の中の出来事を判断して、自分で事業を始めるといった気概をもった若者があまり出てきません。また日本では、どういうわけか成功した人たちを妬《ねた》む傾向も顕著です。

必要なのは、成功した人に「よくがんばったね」と心から喜んであげる気持ちの余裕です。また、大きな事業に挑戦して失敗した人にも、やっぱり「よく挑戦したね」「また、別のことで挑戦してくださいよ」と励ましてあげるような国民にならなければならないと思います。

このような日本の制度を先進国経済にふさわしいように改めていかないと、いつまでたっても世界で羽ばたく元気のよいベンチャービジネスは出てこないでしょう。

21世紀の日本経済が再び不死鳥のごとくよみがえるためには、何が必要かわかっていただけましたか。新しいビジネスに次々に若者が挑戦して、世界に羽ばたく社会に日本が変身することです。そのためには、挑戦に拍手を送れるような日本社会の構造改革と、それからなによりも、私たち自身の意識改革が必要なのです。

もちろん、最近ではイチロー選手や高橋尚子さんなど、ビジネス以外の分野ですが、世界が注目する日本人が出始めたことは大変な朗報です。日本の若者がいろいろな分野で輝く存在になれば、日本の閉塞感などすぐにふっ飛んでしまうのではないでしょうか。

第6章

競争にも光と影がある。

企業が必死にイノベーション（技術革新）に励むのは、
競争があるからです。
企業が勝者となるためには、
ライバルより少しでもよい製品をより安くつくることが大切。
マーケットのすごさは、
自然に企業をそう仕向けるところにあります。

イノベーションが
命

会社をつくるだけでも大変だった……。さて、それだけでひと息つけないのが、マーケットという戦いの場。次には厳しい競争がひかえています。今度は、「創業」から「操業」へと話が移っていきます。

たとえば、携帯電話のメーカー。その競争はめまぐるしいものだとみんなが見知っていることでしょう。そのイノベーション（技術革新）は次から次へと付加価値をくっつけていきます。ついこの間は本体そのものの新しい機能で競争していたのに、今はもうパソコン顔負けの機能が勝負です。文字の伝送ばかりか、インターネットを使って動画を配信することすら日常的になってきました。昨日まではあのメーカーが最先端を走っていたのが、今日は別のメーカーがそれを追い越すという具合。

先端技術を開発し、さまざまなイノベーションに励んでいるのは、情報産業ばかりではありません。現在まで日本経済の大きな部分を引っぱってきた自動車産業でもそうなのです。

1970年代、80年代の経済成長に大いに貢献してきた自動車産業。そのかいあって日本はアメリカを超える自動車生産大国となりました。

日本の自動車がアメリカ市場で本格的に売れたきっかけは、アメリカで四半世紀以上も前に法律となった「マスキー法」でした。排気ガスの有害な成分であるCO_2（二酸化炭素）などの排出量を規制する法律で、技術的にあまりにも厳しかったので、アメリカに輸出される外国車はもうなくなるのでは、と騒がれたほどでした。この問題をアメリカやドイツのメーカーに先がけてクリアしたのが日本車だったのです。

日本のメーカーは「マスキー法」をクリアしなくては、もはや明日がないと考えたのです。日本はエンジンを改良に改良を重ね、どこよりも早く排ガス規制にパスしただけでなく、低燃費《ていねんぴ》をも実現しました。まもなく、石油危機が訪れ（ガソリンの値段が一挙に4倍に跳《は》ね上がった)、日本車の低燃費性が見直されました。その結果、世界一の自動車利用国のアメリカで外国車ナンバーワンとなったのでした。やがて日本は世界一の自動車生産国ともなりました。

しかし、今や新たな難題が浮上してきています。それは、地球環境問題です。地球温暖化を防ぐためにCO_2の排出量をこれからいっそう大幅に削減《さくげん》することが人類生存のために不可欠になってきたのです。自動車メーカーもさらなる低燃費、もしくはガソリンを使わないエネルギーで走るクルマを開発しなくてはなりません。1997年に発売されたトヨタ自動車のハイブリッドカー「プリウス」はその最初の答えでした。低燃費はもちろんのこと、ときによりエネルギーにガソリンと電気を使う。つまり低燃費・低公害を両方とも実現した画期的なクルマがデビューしたのです。これを超える外国車は今のところ現われていません。ハイブリッドカーを発売したトヨタはこれだけで世界中からさらなる評価をえたのです。

さらに、これからはガソリンそのものを使わない燃料電池車の時代がくると言われています。これが実現すると排出されるのは「水」だけになります。すばらしいことですね。このように世界に類を見ないイノベーションを実現することで、会社は生き残りを図る必要が出てきました。21世紀の世界は、いわゆる「大競争の時代」だといわれています。これまでは国境の内側に閉じこもって競争していた多くの業界も、いやおうなく、グローバルに統合された市場での競争にさらされることになるのです。

いずれにしても、21世紀の「大競争時代」に生き残るには、環境分野に限らず、さまざまな分野で革新的なイノベーションを次々と打ち出していくことが必要です。

収《しゆう》穫《かく》逓《てい》減《げん》と収穫逓増

企業が必死になってイノベーションに励まざるを得ないのは、競争があるからです。マーケットにおける競争に打ち勝つためには、他社よりも少しでもよい製品をより安くつくることが必要です。マーケットメカニズムのすごいところは、誰に命令されるわけでもないのに、企業が懸命に生産性を上げ、新製品をつくろうと努力せざるを得ないところにあります。

思い出してください。マーケットは、どの企業の製品がよい製品であるか、どの企業が発展し、どの企業が衰退していくかということをお金による民主的投票で決める仕組みでしたね。いかに消費者からより多くの投票を集めるか。企業は他社より少しでもよいもの、少しでも安いものを供給しようと努めます。あるいは、政府が決める環境規制などをいち早くクリアできる技術力を磨くことも必要です。それに失敗して、消費者の支持を失ったり、時代の要請に応《こた》えられなかった経営者は消え去るのみです。かわいそうといえばかわいそうなのですが、だからといって競争を止めてしまうと、社会はとたんに停滞してしまいます。

イノベーションにはふたつの種類があります。ひとつは、すでに存在する製品を少しでも安く生産できるようにすることです。もうひとつは、新製品を開発することです。まず、すでに存在する製品を安くするためのイノベーション（これをしばしばプロセス・イノベーション、すなわち生産工程の合理化を実現するためのイノベーションとよびます）について説明しましょう（これに対して、新製品を開発するイノベーションはプロダクト・イノベーションとよびます）。

ある自転車メーカーで、１日に100人の労働者が100台の自転車を組み立てています。労働者の数を200人に増やすと、160台の自転車が、さらに労働者を300人に増やすと、200台の自転車ができあがります。このように、生産要素（ここでは労働者）の投入量と産出量（ここでは自転車の組立可能台数）の関係を生産関数といいます。この様子を描いたのが図６－１（P.133）の曲線ａです。この曲線を見れば、労働という生産要素をつぎ込むと自転車の生産量が増えていくことがわかります。

しかし、おもしろいことに、その曲線はだんだんと伸びがにぶくなっていきます。100人で100台つくれるのだから、200人の労働者をつぎ込めば200台、300人の労働者を投入すれば300台できそうなものです。ところが現実にはそうならず、200人で160台、300人で200台しかできません。

これにはいろいろな理由がありますが、工場のスペースが限られているため、あまりたくさんの労働者を雇《やと》ってしまうと、工場が手狭《てぜま》になって、能率が悪くなることが主要な理由です。このように生産要素の投入量を増やしていっても、比例的に生産量が増えない生産技術を「収穫逓減」技術もしくは「費用逓増《ひようていぞう》」技術といいます（なぜ「費用逓増」というのでしょうか？　それは、生産規模が拡大すればするだけ、労働者ひとり当たりの生産台数が減少していき、自転車の生産費用が上がっていくからです）。

もちろん、こうした生産関数ばかりではなく、生産要素の投入を増していけばいくほど、あるいは、工場の規模を大きくしていけばいくほど、生産性が上がる技術もあります。この場合の生産関数は、図6－2に描かれています。図からわかるように、このような技術の場合には、生産規模が大きくなればなるほど有利になるわけです。このような技術を「収穫逓増《しゆうかくていぞう》」技術もしくは「費用逓減《ひようていげん》」技術とよびます。このような技術的特徴をもつ分野では、いち早く新製品を開発し、他社に先行して大規模生産をやってしまった企業が断然有利になります。それが収穫逓増のもたらす必然的な結果なのです。

イノベーションが
生産性を上昇させる

もう一度、図6－1の場合に戻りましょう。この会社は自転車の組み立てラインを工夫し、同じ台数の自転車をもっと少ない労働者でつくれるように技術革新をしました。たとえば、オートメーションを導入したり、労働者の間の分業の仕組みをもっと効率的にすることなどで、このような生産性の上昇は可能になります。

この様子を図6－1に書き入れると、新しい生産関数はbのようになります。同じ労働者数を雇用したのに、自転車の生産台数が増えました。たとえば、100人の労働者で従来は100台の自転車しか組み立てられなかったのが、プロセス・イノベーションの結果、120台も生産できるようになったのです。200人の労働者では192台、300人の労働者では240台組み立てられるとしますと、この工場では20％の生産性向上が

■図6-1　収穫逓減技術

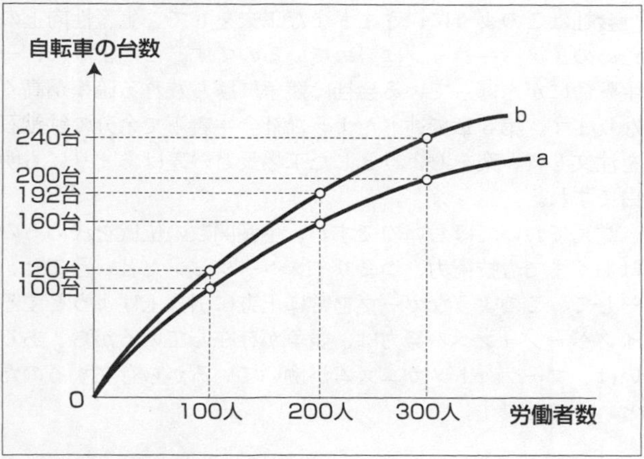

■図6-2　収穫逓増技術

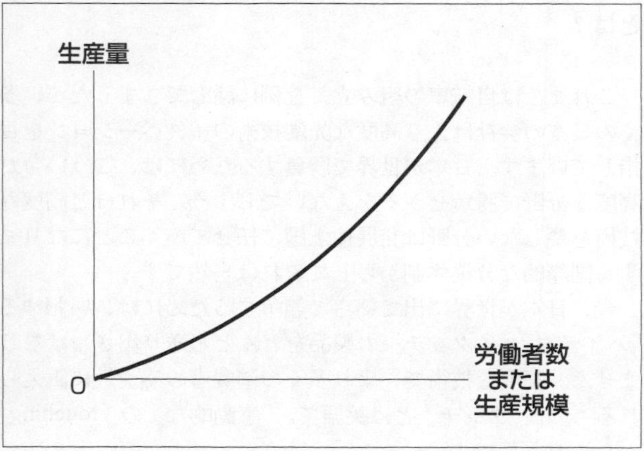

実現したわけです。

会社はこのように、さまざまな工夫をして、生産性向上のためのイノベーションに努めているのです。このように、一生懸命にがんばっている会社は競争に勝ち残れる確率が高くなります。第3章で述べたような社会主義下で余分の鉄鉱石を注文して、楽をしようとした工場長との差はあまりにも明白ですね。

覚えておいてほしいのですが、生産関数の位置を決めるのはあくまでも技術力、つまりイノベーションだということ、そして、このようなカーブを常に上方に引き上げようとするイノベーションへの努力は、競争が存在しているから、あるいは、マーケットメカニズムが働いているから存在するのだということです。

デファクトスタンダードとは？

これまでは自転車の組み立てを例に話してきましたが、多くの日本の会社はより高度な先端技術のイノベーションを目指しています。日本が世界で勝負するためには、こういった高度な分野で勝負せざるをえないでしょう。それほど高度な技術を要しない分野は発展途上国に任せていくことになります。国際的な分業体制からしてこれは当然です。

今、日本が世界に出ていって競争するためには、いわゆる「ハイテク・ハイタッチ」の製品をどんどん送り出さねばなりません。高度な技術で、より多くの消費者の感受性に訴えられるもの。「タッチ」とは英語で、「感動的な」の「touching」からきた言葉です。

ひとことで先端技術を用いて人々の心を揺れ動かす商品をつくり出すということは、いうは易《やす》く行うは難《かた》しです。でも、あの「ウォークマン」やテレビゲーム、さらにはハイブリッドカーという日本発の商品がいかに世界中の人々の心に訴えかけたことか……。そんなすばらしい発明をやってのけたのは、生き残りをかけた決意、そしてハイリスクをものともしないでイノベーションに挑戦した企業人の努力のたまものでしょう。

最近では、情報革命の進展にともなって、コンピュータや通信技術、ソフトウェアの分野で大変な技術革新が起きています。こういった分野では、ひとり勝ち現象、あるいは、勝ち組と負け組に二極化する現象が目立っています。たとえば、ビル・ゲイツ率いるマイクロソフト社はウィンドウズで世界を席捲《せつけん》しました。あるいは、パソコンの心臓部分を司《つかさど》るマイクロプロセッサーで世界の80％のシェアをもつインテル（ペンティアム）もひとり勝ちの例でしたね。

ひとり勝ちが起こるのは、大まかにいえば、生産関数が**図6－2**（P.133）のような収穫逓増、費用逓減になっているからだと考えられます。このような生産技術のもとでは、他社に先がけて大胆に規模を拡大した会社が有利になります。かつてウィンドウズ95の発売に際して、世界的なセールスプロモーションを展開したマイクロソフトの戦略は見事に成功しました。その結果、世界中のパソコンの80％以上にウィンドウズが搭載されるという状況が生まれたのです。

しかしウィンドウズやペンティアムの「ウィンテル連合」（ウィンドウズを供給するマイクロソフト社とペンティアムを供給するインテル社の連合）が世界のマーケットを独占したのは、いわゆるデファクトスタンダードをいち早く確立したからだという説明も可能です。デファクトスタンダードとは「事実上の世界標準」という意味です。「事実上の」という意味は、法律で強制されたのではなく、たまたまそうなった、という程度の意味です。つまり、世界中のパソコン使用者がウィンドウズやペンティアムを使わなければならないのは、別にどこかの国の法律で強制されたためではありません。

むしろ、ウィンドウズやペンティアムを搭載したパソコンを使わないと、世の中に出回っているほとんどのソフトを使えないためです。その結果、自然にウィンドウズやペンティアムを搭載したパソコンを使うことがあたりまえのこと（つまり、世界標準）になってしまったのです。

こうした流れがいったんできあがってしまいますと、それを突き崩すことは大変むずかしくなります。なぜなら、さまざまな応用ソフトを開発する会社は、ウィンドウズやペンティアムの仕様に合わせたソフトばかりを開発するようになるからです。「ウィンテル連合」に対抗してきたアップルコンピュータ社のマッキントッシュは、今でも一部の愛好家から強い支持を得てはいますが、業績は落ちる一方で、ついにマイクロソフト社との提携に踏み切らざるをえなくなりました。マッキントッシュを使っていると、ソフトの互換性がないため、ほかのパソコンユーザーとつながらないという弊害がアップルのシェアをどんどん低下させてしまったのです。

ウィンドウズの大成功で、1998年５月、アメリカの議会の聴聞会に出頭を命じられたビル・ゲイツは、議員たちから「あなたの会社の商品、ウィンドウズは世界中のパソコンの８割以上に使われている。独占禁止法に違反するのではないか」と非難されました。独占状態になった産業では、競争相手がいなくなるため、健全な競争が生まれなくなる危険があります。競争がなくなると、独占企業はイノベーションをする努力を怠《おこた》るかもしれませんし、ユーザーに高い料金を要求する可能性があります。競争相手がいない状態では、我々消費者には選択の自由がなくなりますから、たとえ、マイクロソフトが高い料金を要求しても受け入れるしかないということになるかもしれません。

このように、マーケットメカニズムがうまく機能しなくなる危険性があるために、どこの国でも「独占禁止法」という法律をつくり、ある程度以上、独占状態が強くなると企業の分割を求めたり、価格決定に介入するなどの対応策をこうじています。

独占が発生する状況では、マーケットメカニズムがうまく働かないという危機感がアメリカ政府を動かしたことはまちがいありません。重要なのは、収穫逓増や費用逓減技術のもとでは、放っておけば、デファクトスタンダードが確立され、独占状態が発生するという現実です。

知識産業の特色は
収穫逓増だ

というのは、これから伸びる産業は情報産業やソフトウェアなど、いわゆる「知識産業」が中心だからです。そして、知識産業は多くの場合、産業の特徴として強い収穫逓増、費用逓減が存在すると考えられるからです。

たとえば、ウィンドウズという基本ソフトについて考えてみてください。このソフトを開発するのに、マイクロソフト社は巨大な開発費をつぎ込んだはずです。従って、1本目のウィンドウズをつくりあげるコストは何百億円、いや、何千億円したのではないでしょうか。

しかし、2本目からは、もうアイデアは完成しているのですから、ＣＤ−ＲＯＭさえあれば、あとはコピーするだけなので、何百円というコストですみます。
「平均費用」（製品１個を生産するためにかかる平均的な費用）という考え方でみますと、１本しかつくらない場合のコストを1000億円と仮定すれば、1000本つくれば、平均費用は約１億円、100万本つくれば平均費用は10万円、200万本つくれば、平均費用は５万円、さらに、１億本つくれば平均費用は1000円です。ただし、ここではコピーするＣＤ−ＲＯＭの値段は無視します。

ウィンドウズ１本の価格は５万円くらいでしたから、利益を上げるためには、最低200万本の販売を達成する必要がありました。もし、マイクロソフト社が１億本売ることに成功すれば、１本当たり４万9000円の巨大な利益を得ることができるのです。実際にマイクロソフト社がウィンドウズをどれだけ販売したのかはわかりませんが、少なくとも数億個は売ったと思われます。マイクロソフト社が巨大な利益を上げるのは当然ですね。

これは机上の計算ですから、実際にはもっと複雑な費用や利益の計算になると思いますが、要は、知識の塊《かたまり》であるコンピュータソフトの費用は販売本数が増えるにつれて急速に安くなるということ（費用逓減）、そのために、利益額も販売本数が増えるにつれて急速に増えるということ（収穫逓増）です。

最近、日米の経済格差が拡大していますが、その原因のひとつは、アメリカが90年代に入って、収穫逓増の強く出る知識創造型産業に比較優位をもつようになり、「収穫逓増の恩《おん》恵《けい》」をフルに利用するようになってきたからだと思われます。現に、情報や金融の分野では、収穫逓増の力が強く働いた結果、アメリカのひとり勝ちの様相が強まってきました。それはマイクロソフトやインテルの市場独占やシティバンクとトラベラーズの合併、さらにそういった巨大金融機関の日本進出といった動きのなかに明瞭《めいりょう》に見てとれるように思われます。

他方、自動車や家電など、伝統的製造業においては寡占《かせん》化、二極化は一定の限度を超えて進むことはないと考えられています。なぜなら、カリフォルニア大学バークレー校のポール・ローマー教授が指摘していることですが、ものの生産にはある限度を超えると収穫「逓減」が働くが、コンピュータソフトのような知識の生産には、今詳しく述べたように、収穫「逓増」が強く働くからです。

たしかに、ものの生産の世界でも当然「規模の経済」は働きますが、それはある限度までと考えたほうがよいでしょう。ものを生産するとき、資源を「奪い合って」生産をします。鉄1トンを車の生産に充《あ》てるのか、テレビの生産に充てるのか、あるいは道路をつくるために使うのか。この鉄1トンをどのような用途に使うかは、マーケットメカニズムで決まるのですが、もし、ある会社がどんどん規模を大きくして、世界中の鉄を独占しようとしたとします。しかし、鉄を使いたい会社はたくさんほかにもあるので、自社でたくさん鉄を使おうとすると、高い価格を支払って鉄をひとり占めする必要が出てきます。そうなると、費用が高くかかるようになります（費用逓増）ので、ある一定限度以上は鉄をひとり占めすることはできなくなります。

ですから、トヨタやGMがどんなに強くても、マイクロソフトやインテルのように、世界市場の80%のシェアを占めることはありえないのです。先に、ドイツのダイムラーベンツ社とアメリカのクライスラー社が合併すると発表し、世界を驚かせましたが、収穫逓減が働く可能性があるため、期待されているほどの合併効果を上げることはできないかもしれません。

これに対して、知識生産の世界では、資源を奪い合うということがありません。誰かがある知識を獲得したからといって、それでほかの人がその知識を学べないということはありません。A君が物理の勉強を一生懸命したからといって、B君が物理の勉強ができなくなるということはないのと同じ理屈です。知識は共有できるから、鉄の奪い合いのようなことは起こらないというわけです。また、知識は深くなればなるほど、さらに新しい知識を創造しやすくなるという傾向があるようです。つまり、A君が物理学でどんどん深い知識を蓄積するようになると、A君はますます物理が好きになって、クラスメイトとの差はどんどん広がっていくでしょう。

それと同じで、ある知識産業に属する会社が、すばらしいアイデアを思いついたとします。このアイデアを利用して、他社に先がけてすごい製品を開発したとします。そうすると、この会社に追いつくことは他社にとって大変むずかしくなるだろうということです。

なぜなら、アイデアは多くの場合、「知的所有権」で守られていますから、そのアイデアを盗用したり、まねたりすることはできません。あくまで、自力で、別のアイデアを開発しなければならないのです。もたもたしているうちに、先行した会社の製品はデファクトスタンダードを確立してしまうかもしれません。

つまり、あるイノベーションで先行すれば、先行したことによる競争優位性がかなりの期間、持続する可能性が高まるということです。知識産業では、先にイノベーションを行なった会社が巨大な収穫逓増の利益をひとり占めしてしまう可能性が高いのです。結局、21世紀には、マイクロソフトやインテルのように、グローバルなスケールでのひとり勝ち現象が起きやすくなると予想されます。

このような独占的企業が知識産業を中心にどんどん出てくるようになると、マーケットメカニズムが機能しなくなる可能性も出てきます。こういったグローバルな規模での独占企業の誕生に対して、私たちはどう対応すればよいのでしょうか。

おそらくこれからは、一国の中だけではなく、国際的なマーケットが独占の弊害《へいがい》におかされることなく、健全に機能するように、国際的な独占を監視する国際機関が必要になるでしょう。私たちはすでに、よく似た機能をもつ国際機関をもっています。それはＷＴＯ（世界貿易機関）とよばれるもので、将来は、こういった機関が国際的な独占企業の管理にあたるようになると思われます。

それにしても、エンゲルスやマルクスらは資本主義の果てをこのような独占企業による人民の支配というふうに考え、それを否定することで社会主義を夢想したのでした。社会主義の理想がつぶれた今、今度は資本主義社会に独占の影がちらつくということになるのでしょうか。

競争があり、マーケットが健全に働くことが資本主義社会の発展を支えてきたのですが、収穫逓増からくる知識型産業におけるひとり勝ち現象がはびこることには私たちも十分な注意を払うことが必要だと思います。

今後、世界的な大競争の時代がくると言われています。そして、ひとり勝ちや「二極化」（国や企業が勝ち組と負け組に分かれていくこと）という現象が毎日の新聞をにぎわす日もそう遠くないと思われます。いや、すでにそういった現象はあちこちで起こりはじめているのです。

新聞やテレビの経済ニュースを注意深く観察すると、ひとり勝ちや「二極化」からくる不平等化や倒産、落ちこぼれなどの問題がさまざまな形で出てきていることに気づくはずです。そのことをどう考えればよいのか。答えを出すのは、21世紀の社会を支えることになる読者をはじめとする若い人たちです。

第7章

所得はどう決まるのか。

会社の中では役に立っても、
社会に出ると無能な「会社人間」はもう流行《はや》りません。
これからは日本型の年功序列・終身雇用制度の
洗い直しが行なわれ、
ひとりひとりの実力に応じて
職場と報酬が決められる時代がやってきます。

なぜ貧富の差があるのか

私たちの身の回りを見渡してみると、毎日を悠々《ゆうゆう》とお金に困ることなく過ごしている人もいれば、生活苦に悩まされている人もいます。サラリーマンとして安定的な所得を得ている人もあれば、中小企業の経営者で、好景気のときは羽振《はぶ》りがよいけれども、不景気のときは借金取りに追い回されている人もいます。退職したお年寄りは、年金や銀行預金の利息で生活したいと思っても、低利でままなりません。

このように、世の中にはさまざまな水準の所得を、さまざまなところから受け取っている人たちから成り立っています。いったい、所得の分配はどのようにして決まるのでしょうか。誰がどのような所得を受け取るべきなのでしょうか。一般的にいって、「平等な所得分配」は「不平等な所得分配」よりもよいと考えるべきなのでしょうか。極端な所得分配の不平等は当然望ましくないと思われますが、他方、一生懸命努力した人も、大して努力しなかった人も同じ所得ということになれば、がんばろうという人はいなくなってしまうでしょう。それでは、不平等はどの程度許容されるべきでしょうか。

アメリカでは、この20年ほどの間に、非常に大きな所得の「二極化」という現象が起こりました。つまり、金持ち層はますます金持ちになり、貧乏な人はますます貧乏になるという現象です。過去20年間、アメリカ経済は平均して、年間2.5%の経済成長を実現してきました。ですから、もし、この経済成長の成果がアメリカ人に等しく分配されていたなら、すべてのアメリカ人の生活水準は毎年2.5%ずつ向上したはずです（厳密には人口増加があるため、ひとり当たりの所得の伸びはこれより低くなる)。

しかし、現実にはこの20年間で生活水準が向上した人は全体の上位から数えて20%の人たちだけでした。そして、残りの80%の人たちの生活水準はなんと、20年前に比べて低下してしまったのです。しかも、この80%の人たちのなかでも、最下層の人たちの所得が最も大きな低下を見せたのでした。

日本ではまだこのような極端な所得の二極化は起こっていません。日本は世界にも例を見ないほどの平等国家であるといわれています。新入社員の給料と社長の給料の格差は多くの会社ではせいぜい10倍程度です。そのかわり、ビル・ゲイツのような大金持ちはめったに出てきません。アメリカではこの格差はしばしば何百倍にも達します。このような日米の差が発生する理由は何なのか。どうやら日本とアメリカでは人々の所得の受け取り方がかなりちがうらしいのです。

この章では、人々はどのようなメカニズムに基づいて、所得を受け取るのかということについて考えていきたいと思います。

新人社会人
ふたつの道

所得分配の仕組みを理論的に説明する前に、対照的な人生を歩みはじめたふたりの若者の例を見ていきたいと思います。

A子さんとB君は二卵性双生児の姉弟です。ふたりはとても仲のいい双子でしたから、幼いころから遊びも一緒で、とくに発売されたばかりのテレビゲームに夢中になったものです。

少し前、小学生にアンケートをとったら、10人のうち2人弱が将来の職業としてゲームソフトの開発者になりたいという結果が出たそうです。A子さんもB君もそんな夢をもちつづけてきたのでしょう。学生時代からその希望にそった職探しをしてきました。

B君は早くも中学生のころにはその種のTV番組のコンテストに優勝したぐらいで、いわば「小さなマイスター」でしたから、けっこう業界では有名人となっていました。いきおい、大学でもコンピュータ工学を専攻したくらいです。

A子さんのほうはそれほどでもなく、むしろゲーム業界で新しいゲームをもっと普及させ、世界一の会社にしたいものだと経済学を専攻しました。性格を比べれば、弟のほうがちょっとばかり怖いもの知らずに見えました。

さて、大学2年のとき、B君はコンピュータソフトのメーカーとしては中堅ですが、とてもユニークなソフトを発表しているトライアングル社から、「うちの会社に来て、すごいソフトをつくってくれないか」と誘われたのです。

大学卒の初任給はだいたい年収で300万円ぐらいですが、トライアングル社は「来月から来て欲しい。基本給だけでも初任給並みで、きみの開発したソフトが売れたらそのつど売り上げの3％をプラスしてあげる」とまで言ってきたのです。卒業までまだしばらく間があったB君の心は揺れました。

普通のソフトは小ヒットでも2万本は出ます。仮に単価が5000円として、売り上げの3％だと300万円のボーナスがつくわけだな、とB君はすぐさま暗算しました。やる気を出せば、そんなすごい額でも手にすることができる。これこそまさにインセンティブだな、と彼は思いました。一般教養課程の経済原論で習ったばかりでしたから。

しばらくしてB君はトライアングル社のスカウトに応じることを決め、大学を中退してトライアングル社に就職しました。「僕だって、いつかは日本のビル・ゲイツになれるんだ」と心のなかでは思ったのです。

それから遅れること2年して、こんどはA子さんがめでたくゲームソフトの最大手企業フェニックス社に就職できました。そしてかねての志望どおり営業企画部門に配属されたのです。

職種はちがいますが、ふたりとも希望どおりの会社で社会人としてのスタートを切りました。もっとも、帰宅すれば新作ゲームに夢中になるのは、ふたりとも相変わらずでした。

異なるサラリーの支払われ方
——B君の場合

ふたりがそれぞれ就職した会社の経営者たちは、その業界自体が若いせいもあって、とても経済の動きに敏感ですし、また新しい会社経営術を勉強していました。

B君の入ったトライアングル社の社長はインセンティブによって社員がやる気を出すことを知っていました。マーケットメカニズムを会社の人事に取り入れようと強く意識しているわけです。すごく能力があって業績を上げた社員には高い給料を払うといって、実行していきました。

当然ですが、年齢に関係なく給料の高い人と低い人の差はかなりのものです。その社長はB君のキャリアや将来性に投資したわけです。最近増えてきた新しいタイプの日本人経営者のひとりです。

その逆に、年収500万円の人でも、300万円の価値しか会社にもたらさない人は、どんどん給料を下げました。気に入らない人には辞めてもらう方針です。まるで商品のマーケットのように、労働サービスにもマーケットのメカニズムを働かせようとしたのです。

トライアングル社のソフト開発がうまくころがり好調に売り上げを伸ばしているうちは、社員も社長についていきました。なにせすごいインセンティブ（B君の場合は成績に従った歩合的報酬）がありましたから、みんな必死にがんばりました。

しかし、ある時点から、ヒット作が出なくなってきました。別の大手ソフト開発会社がトライアングル社から優秀な人材を引き抜いてしまったからです。

しばらく前まで、トライアングル社の中でのB君はなかなか派手な若手社員でした。最初につくったソフトがかなりのヒット。多額の報奨金に加えて社長賞として100万円ももらえたのでした。しかし、この1年、トライアングル社の社長は販売の主力をアメリカに移そうと計画しているらしく、ソフト開発の社員まで英語力を高めるよう強く求めてきていたのです。B君はコンピュータ英語ならまだしも、ビジネスの現場で英語をどんどん使うことはむりでした。

ついこの前、社長からアメリカ出張に同行するよう言われましたが、新製品の開発の遅れを理由にそれを後輩に譲ったばかりです。後輩が日本に帰ってきてからB君にひそかに伝えた話では、どうやら社長がB君に不満を感じているらしい。B君の立場がどうやら危うくなったのです。そのような雰囲気に影響されたのか、B君の開発したソフトはいずれも不発に終わってしまい、給料は生活が苦しくなるくらいまで激減しました。

B君は会社が面倒をみてくれないとわかっていますから、会社を辞め失業保険をもらえる間だけでもビジネス英語の学校に通い、自分の付加価値を高めることにしました。

異なるサラリーの支払われ方
——A子さんの場合

一方、A子さんの勤めるフェニックス社では年功序列制度・終身雇用制度に従って給料を支払ってきました。年功序列制度とは年齢が上がれば、それにつれ給料も高くなる制度です（それに業績評価がいくぶん加味されることは言うまでもありません）。A子さんと同期に入った人たちはもちろんみんな、同じような給料です。終身雇用制度とは一度就職すれば、定年までその会社が面倒をみてくれる制度です。

さらに、A子さんは課長から次のような話を聞きました。

「この会社では、若いときには給料が安いけれども、40歳を過ぎると急に給料がよくなるんだ。退職金も定年までいるとたくさんもらえる。ただし、中途退社すると、ずいぶんと少なくなるけどね」

このようなサラリーの支払われ方は、日本の大企業における典型的な姿であったといえます。若いときには、働き分よりも安い給料でがまんしなければならないが、子供の教育費などがかさみはじめる40代には、働き分よりもたくさんの給料がもらえるという仕組みです。また、定年までいれば退職金が多くもらえるというのは、途中で会社を辞めると損だということを意味します。B君が勤めていたトライアングル社のように、その時々の仕事の成果に対して支払われるサラリーの支払われ方（しばしば、能力給、もしくは「成果に基づく支払い」〈Pay for Performance〉とよばれる）とはずいぶんとちがいますね。

B君の場合には、かなりのリスクがともないます。仕事がうまくいった場合には、ひょっとしたら社長と同じくらいの破格の給料がもらえますが、失敗すると生活がとたんに厳しくなりますし、終身雇用も保障されていませんから、クビになることも覚悟しなければなりません。A子さんの場合には、若いときにすばらしい仕事をしても、上司から「よくやったね」と言われる程度で、給料にはほとんど響いてきません。しかし、仕事がそれほどうまくいかないときでも、あまり給料は変わりませんし、定年まで勤められることも保障されています。

さて、読者のみなさんはA子さんとB君の所得の受け取り方を見比べて、どちらを希望しますか？　生活の安定を求める堅実派のあなたなら、A子さんのフェニックス社を選ぶでしょうし、もしあなたが大きな夢を追う挑戦好きな人間なら、B君のトライアングル社に魅力を感じるのではないでしょうか。

あるいは、あなたが経理や人事などの事務職に向いているなら、給与はフェニックス社タイプになるでしょうし、B君のようにスペシャリスト（ある特定の能力に秀《ひい》でている専門家）ならトライアングル社のタイプが向いているでしょう。日本では、大ざっぱに言って、伝統的な大企業がフェニックス社型、外資系企業の多くやソフト開発の会社などは、トライアングル社型だと言えるでしょう。

年功序列制のメリット

年功序列や終身雇用制といった制度はなぜできたのでしょうか。こういった制度が長い間つづいたのは、それなりの合理性があったからです。最近では、これらの制度の欠陥が議論されることが多く、時代遅れとさえいわれていますが、それはなぜなのでしょうか。

年功序列や終身雇用制度のメリット（長所）はいくつか考えられます。

第1に、事務職のような仕事はほかの人と共同で作業することが多く、また、売上高のような明確な業績評価の指標がありませんので、個人ごとの成果に基づく配分をすることは技術的に大変むずかしいということがあります。むりに成果に基づいた配分をしようとすると、えこひいきが起こったり、従業員の間に不満が発生する可能性があります。年功制にしておけば、まずは平等が保てますから、職場のモラルが維持できます。

第2は、このような仕組みのもとでは、長期雇用が一般的になり、会社のことを熟知している人材の流出が防げます。若いときには自分の働きより低い給料、40代以降になるとそれを取り戻せるという給与カーブがあるため、30歳過ぎまで勤めた人にとっては転職は非常に不利になります。もちろん、退職金のことを考えれば、中途退職者はなおさら浮かばれません。このように、日本経済が急成長していたころには、慢性的な人手不足があったため、企業としては中途で辞める人をできる限り減らしたかったのです。

第3に、技能には、ある特定の会社に長い間勤めることによってできあがる「企業特殊的技能（Firm-specific Skill)」と、どこに行っても通用する「一般技能（General Skill)」があります。企業特殊的技能は、長年勤めていた会社の中だけで通用する技能です。たとえば、いつも使っている機械の癖をよく知っているため、その機械が動かなくなったらすぐに故障個所を見つけ出して、修理できるといった技能とか、何か問題が起これば、誰に連絡すればよいのかということを熟知しているといった社内の人脈などがそれにあたります。他方、一般技能は、外国語がしゃべれる、インターネットが使えるといった技能で、どこにいっても通用する技能です。

長期雇用が一般的になりますと、人々はまちがいなく企業特殊的技能を蓄積することになります。いわゆる会社内のことなら何でも知っているベテラン社員です。このような技能が会社という組織をスムーズに動かしていく上では大いに役に立ちます。日本の会社の多くは主としてこのような企業特殊的技能の蓄積によって成長してきたと考えられています。そして、その頂点に立つのが、新入社員のときから生《は》え抜きで苦労を重ねて昇進した社長さんです。

人事制度の改革が必要な日本の会社

このような日本型の給与・人事システムのもとでは、突出した高給取りが出ない代わりに、極端な落ちこぼれも出ません。かなりの平等性が維持できます。かといって、競争がないというわけでもありません。いろいろな職場を経験しながら、それぞれの職場の上司が社員の評価をしています。

つまり、人の評価はひとりのボスが決めるのではなく、10年も20年もかかって、多くの上司が評価した結果、決まってくるのです。これではえこひいきもできませんし、複数の上司の評価ですから、ある程度の客観性も期待できます。

日本が高度成長をしていたころ、すなわちまだまだ先進国に追いつかなかった時代には、年功序列も終身雇用も労働者にとってはありがたいインセンティブでした。生活が安定することが当時の労働者にとっては先決でしたから、それは強いインセンティブとして働いたわけです。しかし、このような多くのメリットにもかかわらず、最近になって、日本型の人事システムは問題が多いという声が強くなってきました。

まず第1に、日本が経済先進国になったために、これまでのように欧米から事業の成功事例を探してきて業績を上げるということがむずかしくなってきたことがあげられます。むしろ、自分でまったく新しい、ユニークな事業を創造していく必要が出てきたのです。

これは従来のような欧米の成功事例をもとに事業を展開するというやり方に比べると、はるかに大きなリスクがあり、厳しい仕事です。まさに、新しい発想が要求されるわけです。そのような新事業を開拓する人たちは、これまで以上に爆発的なエネルギーが必要になります。そして、そのような爆発的なエネルギーを出させるための十分強力なインセンティブが必要になります。

年功序列制度のもとでは、すなわち、一生懸命やってもやらなくても、それほど急激に自分の給料に跳ね返らない仕組みのもとでは、人はそれほど必死になってがんばらないものです。一生懸命やっているふりはしますが、心底から死にものぐるいでやる人は例外的でしょう。そして、死にものぐるいでやって会社に大きな利益をもたらしても、大して処遇《しょぐう》に変化がないとしたら、読者のみなさんならどうしますか？

もっと悪いのは、年功序列・終身雇用制度に「ぶら下がってしまう」人たちがたくさん出てくるということです。あまり業績を上げられなくても、終身雇用のもとで一生それなりに生活できる保障をしてくれるのが日本のシステムでした。人間社会における普遍的な現象は、保障が与えられると安心してしまって十分な努力をしなくなること（これをモラルハザード〈Moral Hazard〉と言う）です。

一生懸命にがんばる人がいなくて、職を保障されていることをよいことに、本気で仕事をしないぶら下がり型の社員が多数を占めるようになれば、会社はもちません。

もうひとつの要因は、コンピュータや通信技術の発展によってもたらされる情報革命の進展です。情報革命が進むと、情報を手に入れたり、処理するコストが安くなります。また、インターネットのように、自分のパソコンと世界が結ばれるようになってきました。情報技術を活用して、世界とネットワークを組むことによって新たな仕事が生まれるという時代になってきたのです。

こうなると、より必要とされる技能は、企業特殊的技能というよりも、一般技能ということになってきます（もちろん、企業特殊的技能が不必要になるということは絶対にありませんが……）。企業の中だけに技能を閉じこめておくメリットがこれまでほど大きくなくなってきたのです。社外に出ても通用する一般技能が重要性を帯びるようになったのです。外部とネットワークを組まなければならないとしたら、社外の誰とでも意思疎通できる一般的知識が重要になるのは当然です。

もし、このような見方が正しいとすると、長期雇用の必要性は薄まると思われます。同じ会社に長くいると、企業特殊的技能には強くなりますが、会社の外でも通用する一般技能が磨《みが》けなくなる可能性があるからです。

「会社人間」という言葉が一時流行《はや》ったことがありますが、会社に忠誠心を誓い、会社の中では有能な人で通用する人材でも、世の中に出たとたん、何のセールスポイントもない人材になってしまう危険性があります。むしろ、これからは、会社の中だけでなく、会社の外に出ていっても十分に役に立つ人材になるように、私たちは要求されているのです。

こういった新しい問題が出てきたために、日本の年功序列・終身雇用の制度は今、根本的な見直しを迫られはじめたように思われます。

もっとも、日本的な人事システムは必ずしも日本だけに存在するのではなく、かなり普遍的です。しかし、日本の場合、デザイナーやソフト開発者、研究者などいわゆるスペシャリストもすべて長期雇用の仕組みに組み入れたという点で特異だったのかもしれません。こういったスペシャリストは、企業特殊的技能ではなく、マーケットで評価できる一般技能で評価されるべきだったのです。

日本の会社でも、このようなスペシャリストに対する処遇の仕方（終身雇用でなく、年俸制などによって毎年契約するといった制度。先にあげたB君のようなケース）と、事務職、管理職のようなゼネラリストの処遇の仕方（年功制で安定的な職場を保障。A子さんのようなケース）を明確に区別しようという方向で、人事システムの改革が進められています。

雇用量は
どのように決まるのか

日本の人事制度についてかなり詳しく見てきました。今度は、もう少し、標準的な所得分配の理論の話に戻りましょう。大切なのは、標準的な理論と、以上に述べたような具体的な話を両方知っておくことです。

さて、私たちの所得はどのように決まるのか？　標準的理論はどのように教えているでしょうか？

経済学の考え方によれば、結局、私たちのサラリーはひとりひとりが仕事場で生み出せる価値（これを「労働の限界生産物」〈Marginal Product of Labor、略してMPL〉と言う）に従って支払われると考えます。つまり、それぞれの人の働きに応じてサラリーが決まっているということです。わかりやすいですね。

「労働の限界生産物」とは、ある人が職場で働いたときに、「追加的に」生み出せる付加価値のことです。経済学で「限界」（Marginal）という言葉が出てきたら、それはいつも「追加的な」（Additional）という意味で使われています。ぜひ覚えておいてください。たとえば、100人の従業員が働いている職場にもうひとり（101人目の）従業員を投入すべきかどうかという、経営者ならいつも直面している状況を想像してみてください。読者が会社の経営者であったとしたら、何を基準にしてその答えを出すでしょうか。

答えは簡単です。すなわち、その101番目の人が生み出す追加的な価値（労働の限界生産物）が、賃金よりも大きければその人を雇うが、逆にその生み出す追加的な価値が賃金よりも低ければ、その人を雇うべきでないというものです。

なぜなら、経営者が利益をできるだけ大きくしたいと思っている限り、支払う賃金よりも大きな価値を生み出してくれる人は絶対に雇うべきだし、支払う賃金よりも小さな価値しか生み出してくれない人は雇うべきでないからです。

さらに言えば、経営者は、新たに雇い入れる人の限界生産物が賃金を上回っている限り、雇用を増やしつづけるべきです。また、もし、すでに雇っている人の限界生産物が賃金を下回っている場合には、その人は解雇《かいこ》すべきです。つまり、賃金と労働の限界生産物が一致するところで雇用量を決めるべきだということです。

右の図7－1は、従業員数が増えるに従って小さくなっていく労働の限界生産物と賃金が一致するところで雇用が決定される様子が描いてあります。労働の限界生産物のグラフが従業員数が増えるに従って低下しているのは、従業員数が増えるにつれ工場が手狭になり、従業員がつくり出す追加的な付加価値が少なくなってしまうことを示しています（つまり、ここでは労働に対する収穫逓減を仮定している）。

会社の経営者は利潤をできるだけ大きくするために、図7－1のような形で雇用量を決めていると考えられます。もし、今の雇用量がＯＭなら、経営者はもっと雇用を増やすべきです。なぜなら、Ｍのところで雇われている人がつくり出す限界生産物はＭＫの大きさなのに、賃金はＭＨにすぎません。経営者はこの人を雇うことによってＨＫの利益を得ているのです。このように、労働の限界生産物が賃金を上回る限り、雇用を増やすべきなのです。逆の場合、現在の雇用量がＯＬの大きさのとき、Ｌのところの限界生産物は賃金より低

■図7-1　雇用量はどうして決まるか

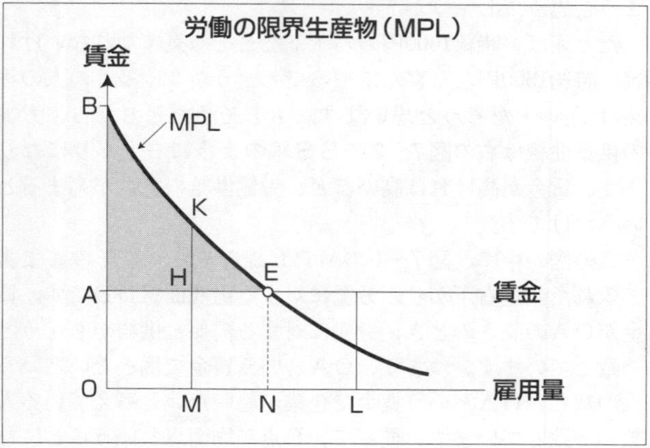

くなっており、この人は会社にとってマイナスの利益（損失）をもたらしています。もちろん、経営者がこんなグラフを頭に描いているわけではないでしょうが、人を雇うべきか雇うべきではないかを考えるときには、支払わなければならないサラリーと比べて会社に役に立つ人材かどうかを見極めようとしているはずです。

賃金の決まり方

以上は、企業側から見た雇用量の決定の仕方でした。図7－1のＭＰＬ線は労働に対する企業の需要曲線だと考えることができます。

今度は、供給曲線を考えればよいのです。労働を供給するのは私たちです。さて、私たちは賃金が高くなればもっと働こうと思うでしょうか？

たとえば、時給1000円のバイトだとその気になれないけれど、時給1500円なら喜んでやるでしょうか？　多くの人の答えは「yes」だろうと思います。もしそうだとしたら、労働の供給曲線は右の図7－2のＳＳ線のように右上がりになります。賃金が高ければ高いほど、労働供給の意欲が高まるというわけです。

この図の中に、図7－1のＭＰＬ線をそっくりそのまま書き入れたのが右下がりの労働に対する需要曲線ＤＤです。賃金がＯＡの高さのとき、労働に対する需要と供給がちょうど一致しています。つまり、ＯＡという賃金で働きたいという人の数と、ＯＡという賃金で企業が雇いたいと考えている人数が一致しています。従って、Ｅ点が均衡点《きんこうてん》ということにな

■図7-2　労働の供給曲線

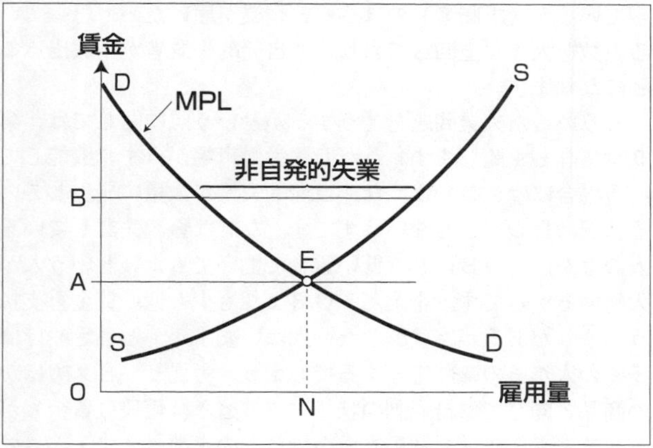

ります。このとき、「非自発的」失業者はゼロです。非自発的な失業者とは、現行の賃金水準で働いてもよいと考える人で、職に就《つ》けない人のことを言います。

上の図７－２ではＯＡという賃金水準で働きたいと思っている人はすべて職に就けますから、非自発的失業は存在しません。もちろん、現行の賃金水準では働きたくない、そんな安い賃金なら遊んでいたい、という人も大勢いるわけです（Ｎ点より右側の人たち）が、この人たちはいわば「自発的に」自らの意思で職に就かないことを選択しているわけで、この人たちのことを「自発的失業者」とよんでいます。

しかし、問題なのは「非自発的失業」ですね？　なぜなら、現行の賃金で働きたいと思っているのに働き口が見つからないのですから。それはどんなときに発生するかというと、賃金が高すぎる場合です。図７－２で賃金が何らかの理由で

ＯＢの水準にあったとしましょう。このとき、働きたいと思っている人（求職者）のほうが、企業が雇いたいと思っている人数を大きく上回っており、非自発的失業者が多数出ることになります。

こういった失業問題をどうするかという点に関しては、第９章で詳しく論じます。ただし、労働市場がうまく機能している場合には、このような非自発的失業が大量に発生している状況は長つづきしないはずです。なぜなら、失業している人のなかに、ＯＢよりも低い賃金で働いてもよいという人が大勢いるからです。企業が「ＯＢよりも少し低い賃金を支払うつもりがあるが、就職したい人はいますか」とささやけば、多くの人がその職に応募するでしょう。労働サービスもほかの商品と同じで供給過剰の状態にあるときは値段（賃金）が下がると考えれば、結局、賃金はＯＡの水準にまで下がってきます。その結果、非自発的失業者はいなくなります（ただし、労働市場においてはそうなることをいつも期待するわけにはいきません。この問題は第９章の課題です）。

結局、賃金は労働の需要と供給が一致する水準（図ではＯＡ）で決定されるということになります。Ｅ点では、労働者は彼自身がつくり出すことができる価値（労働の限界生産物）に等しい賃金を受け取るということがわかりました。

もちろん、労働の質がちがう人たちについては、別のグラフが必要です。図７－２は、あくまで同じ能力をもった人たちを対象に雇用量や賃金がどう決まるかを示しているわけです。

繰り返しになりますが、労働の限界生産物の大きさは、それぞれの人の能力によります。大きな価値を生み出す人にはそれに応じた所得が支払われ、小さな価値しかつくり出せない人の賃金は低くなります。

財産所得はどのようにして決まるか

それでは、資本を提供する資本家の所得（財産所得）はどのように決まるのでしょうか。もっとも、資本家という言葉は大げさすぎるかもしれません。たとえ100万円の銀行預金を持っている人も、何百億円の財産をもっている人も、すべて「資本を提供している」人たちです。数百億円の財産をもっている人を資本家とよぶのは当然としても、庶民が100万円の預金を銀行を通じて資本として世の中に提供している人までも資本家とよぶのはちょっと抵抗があるでしょう。しかし、ここでは資本を提供している人はすべて資本家とよぶことにしましょう。

資本を提供した人に対する報酬はどのように決まるでしょうか。ここで注意する必要があるのは、銀行を通じて企業に資金を貸し付けた場合と、株主のように企業に直接出資した場合とでは、報酬の受け取り方が異なるということです。

銀行が企業に融資した場合、企業が銀行に支払い、それがさらに預金者に支払われるのは、利息ですね。他方、企業が株主に対して支払うのは配当金であり、あるいはキャピタルゲインです。

まず、利息から考えましょう。

P.164の**図7－3**は、会社が設備投資をどのように決めるかということを示すために描かれたグラフです。

「投資の限界効率」（Marginal Efficiency of Investment 略してＭＥＩとよぶ）と書かれたこのグラフを見てください。投資の限界効率とは、「追加的な投資」がもたらす収益のことです。

工場を拡大するために1億円かかるとします。このとき、工場を拡大したために生産能力が上がります。その結果、売り上げが伸び、利益が500万円余分に出たとしましょう。この1億円の投資の限界効率は5％であると言います（500万円÷1億円）。

投資の限界効率のグラフが右下がりになっていることに注意してください。そうです。ここでも投資額が増えていくに従って、追加的な投資が生み出す収益は小さくなっていくと考えています。

普通、会社はいくつかの投資プロジェクトをもっていますが、非常に大きな収益を期待できる投資案件もあれば、それほどの収益を期待できない投資案件まで、さまざまな収益性（限界効率）をもった案件があるはずです。

グラフは、それらの収益性の異なる投資案件を、収益性の高い順番に、左から右に向かって並べたものと考えるとわかりやすいですね。そうした場合、経営者であるあなたはどこまで投資をするでしょうか。賢明な読者は、この問題が先に述べた従業員数をどうするかという雇用決定の問題と基本的な考え方としてはまったく同じだということに気がついたのではないでしょうか。

会社は投資資金を銀行から借りることにしました。この場合の均衡（実質）金利は4％でした。このとき、最適な投資額は、投資の限界効率が資本を調達するときのコスト（資本コストという）と等しくなるところで決まります。なぜ？　それは、もし、投資の限界効率が資本コストを上回っている投資案件があれば、その投資はぜひ実行すべきだからです。また、逆に、投資の限界効率が資本コストを下回っている投資案件は実行すべきではないからです。これが利潤《りじゅん》を最大にする投資戦略です。

このとき、銀行にお金を預けた人は4％の金利収入を得ることになります（銀行の貸出金利と預金金利が同一と仮定した場合。実際は、貸出金利のほうが、預金金利よりも1～2％高くなります）。均衡金利がどう決まるかという問いについては、すでに第4章で見たとおりです。

「利潤」はリスクへの見返り

銀行にお金を預けた人の収入は金利収入だということを見てきました。

それでは、株式などに出資したり、自ら企業を起こした起業家が受け取る所得はどう決まるのでしょうか。結論から先に言いましょう。彼らの所得は「リスクをとったことに対する報酬」だということです。リスクをとった者に対する報酬を利潤といいます。

利潤は**図7－1**（P.157）と**図7－3**（P.164）の薄墨色の部分で表わすことができます。**図7－1**で、この会社が雇用した従業員数はE点で表わされています。この最後の従業員の収益への貢献はゼロです。なぜなら、彼の限界生産物はちょうど彼が受け取る賃金に等しいからです。しかし、たとえば、M点の従業員が生み出す限界生産物はKMですが、会社が彼に支払う賃金はMHにすぎません。この差額、すなわち、HKはこの会社の利益になります。これをすべての従業員について合計しますと、ちょうど薄墨色の面積になります。

あるいは、**図7－3**で見ても同じことがわかります。**図7－3**で、この会社が決断した投資額はF点で表わされています。このF点での投資の限界効率はちょうど金利に等しいので、

■図7-3　投資の限界効率表

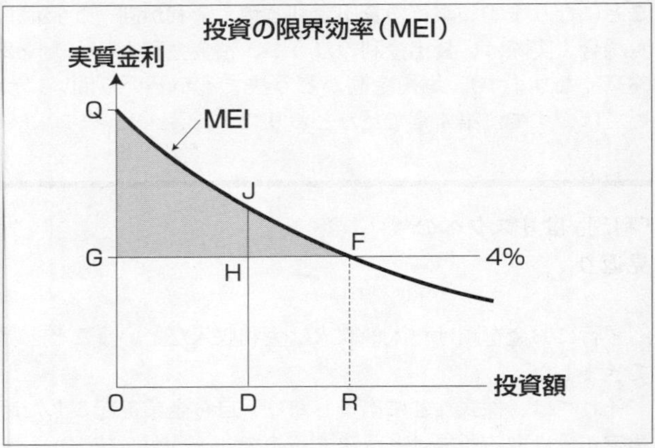

会社の収益への貢献はゼロです。しかし、たとえばＤ点で投入された投資が生み出す収益はＤＪであるのに、会社が銀行に支払うのはＤＨにすぎません。ＤＪとＤＨの差額、すなわち、ＨＪがここでの追加的投資に対する利益になります。こういった利益をすべての投資された金額について合計しますと、ちょうど薄墨色の面積になります。図7－1と図7－3の薄墨色の部分を合わせた面積がこの会社の利益の総額ということになります。そして、それは会社の所有者である株主の所得となります。

このように、会社の利潤は生産要素（ここでは労働と資本）を使ったために生まれる付加価値の合計から、これらの生産要素に対して支払うコストを差し引くことによって計算できます。繰り返しますと、図7－1で、従業員が生み出した付加価値（限界生産物の合計）はＯＮＥＢ、労働コストは

ＯＮＥＡで囲まれた面積ですから、その差額（薄墨色の部分ＡＥＢ）が労働者を雇用したことから得られる利益です。また、**図7—3**で、投資が生み出した付加価値の合計はＯＲＦＱ、借り入れコストはＯＲＦＧで囲まれた面積ですから、投資によって得られた利益はその差額である薄墨色の部分ＧＦＱで表わされます。これらの図の薄墨色の部分の合計がこの会社の利潤です。

しかし、よく考えてみてください。同じ資本を提供する場合でも、リスクをとらないで銀行預金した場合には、４％というあらかじめ決められた利息収入が得られるだけです。また、あらかじめ賃金を決めて支払う場合、労働者はリスクをとらないため、固定的な賃金を受け取るだけです。

しかし、株主としては資本出資する場合には、配当金やキャピタルゲインをあらかじめ決めておくことはできません。会社の業績しだいで、すごく儲かった場合には配当金も株価も大幅に上昇し、株主は大儲けしますが、事業がうまくいかなくて赤字に陥った場合には、配当はゼロ、キャピタルゲインは株価が下落するため、マイナスになるでしょう。このように、リスクをとるかとらないかで、報酬の受け取り方はちがってくるのです。

この点は重要なので、繰り返します。景気が急に悪くなって売れると思っていた商品が売れなかったり、従業員の生産性がそれほど高くなかったとか、さまざまな理由で予想どおりの業績が上げられないということは日常茶飯事です。見通しが狂えば、利益は得られません。会社は赤字になり、株主への配当金は無配になることもあります。場合によっては倒産してしまい、出資金が戻ってこないということもありえます。

もちろん、逆のケースもあります。予想以上に商品が高く売れたとか、急に円安になって、輸出が増えたといった状況になると、利益は急増し、会社の株価も高くなりますし、当然配当金も増えるでしょう。

つまり、株主とは常にこのような事業にかかわるリスクを背負っている人たちです。だから、労働者のように賃金支払いがあらかじめ約束されていたり、銀行預金の利子が固定されており、あらかじめ定められた報酬を必ず受け取れるようなリスクのない人とはちがって、株主の報酬は常に不安定です。図7－1や図7－3の薄墨色の部分はあたかも確定した利益額のように描いてありますが、実際は、景気が悪くなるなど労働の限界生産物や投資の限界効率が大きく下方にぶれた場合には、利益はゼロまたは赤字になりますし、好況で上方にぶれた場合には利益額が増えることになります。

以上を整理しますと、株主などの資本家が得る所得、すなわち利潤は、彼らが引き受けるリスクに対する報酬であると考えることができます。現実の世界は、大きな不確実性に満ちています。この不確実な世界で、あえて事業を拡大するということは、大きなリスクをともないます。リスクが大きい現実を前にして勇気を出して投資をし、労働者を雇用するという行為がたまたま運よく、あるいは、経営者の必死の努力の結果、当たった場合に、その報酬として利潤が割り当てられるというわけです。すぐれた企業家というのは、不確定な事業環境のなかで洞察力を働かせて意思決定をし、それを成功に導く能力をもった人のことです。資本主義社会の推進力はこういった企業家たちの「冒険的精神」あるいは「動物的直感力」に負う部分が大きいのです。

経営者の報酬は
どのように決まるのか

最後に、経営者の報酬はどのように決まるのでしょうか。経営者がその会社のオーナーである場合は、株主に対する報酬についての説明でほとんど説明できます。株主と経営者が同一人物でない場合には、どうなるでしょうか。

この場合、経営者は株主から経営を委託されている代理人ですから、株主が望むように、利潤を最大にするという仕事に邁進《まいしん》する義務があります。そして、原則として年１回開催される株主総会において、経営者に対する報酬が決定されます。経営が成功している場合には、多額の役員賞与が支払われるでしょうが、赤字になった場合には、あまり支払われないことになります。

もちろん、経営者のマーケットというものもありますから、株主総会が決める経営者の報酬が世間的にみてあまりに少ないとなれば、経営者は辞職するかもしれません。あるいは、経営者が無能であると株主が考えた場合には、株主総会において経営者が解任されることもあります。

結局、経営者の報酬は株主が業績を評価し、それに応じて決定されると考えることができます。

以上をまとめると、所得分配はそれぞれの人が供給する生産要素の働きに応じて決定されていることがわかるでしょう。サラリーマンは安定的なサラリーをもらっている階層です。銀行に預金をして、そこから利息を得ている人たちも、あらかじめ支払われる金利が確定しているという意味で比較的落ち着いた所得を得ていると言ってよいでしょう（もっとも、最近のように歴史的低金利になると、利子所得は大幅に減少してしまいますが)。

それに対して、株主や経営者は大きなリスクに挑戦しているため、うまくいったときには巨額の収益を得ることができますが、その半面、事業が失敗したときには出資した資金が返ってこなくなるなど、所得は大きく減ることになります。株主や経営者の所得の変動は激しい半面、サラリーマンや金利生活者の所得が安定的であるのは、リスクを取っている人が誰であるかによるわけです。

日本では、サラリーマンのように、労働サービスを提供している人たちの所得(雇用者所得)は全体の70%、預金利息や配当金、キャピタルゲインなどを得ている資本家が稼ぐ所得(財産所得)は全体の30%を占めています。

しかし、株式が公開されている大会社になればなるほどそうですが、株主と経営者は同一人物ではありません。株主の数は何千人、何万人という多数になります。そして、多くの株主は会社の経営権を行使しようというよりは、その会社の将来性に期待し、預金などよりも高い収益を求めて株主になっているにすぎません。彼らは、配当金を受け取り、キャピタルゲインを手にしたいと考えているのです。また、大会社の場合、大株主もせいぜい全発行株式の数%のシェアをもっている程度で、会社の経営を左右するほどの所有権をもっていないケースがほとんどです。

こうなると、株主と経営者の意思疎通も思うようにはいきません。株主の意向を無視して、経営者が自分につごうのよいように経営をする可能性も高くなります。経営者は株主が望んでいる株主資本に対する収益率(しばしばROE=Return on Equity という)を最大にすることよりも(あるいは同じことですが、株価をできるだけ高くすることよりも)、経営者としての権威を高めるために利益を多少は犠牲にしても、会社の規模を大きくしたいと考えるかもしれません。

あるいは、交際費をたくさん使ったり、社長室のじゅうたんをフカフカの高級品にするといったことに興味をもつかもしれません。このように、株主のコントロールが経営者になかなかおよばないことがしばしば出てきます。このような状態を「所有と経営の分離」といい、現代大企業の大きな特徴となっています。

日本の場合、系列企業（三菱、三井、住友などの旧財閥系企業の密接な関係）の間で、株式を相互に持ち合うということが広範に行なわれています。ある企業Aの最大の株主は、同じ系列の企業Bであり、企業Bの最大の株主はちょうどその逆にA社であるという具合です。こうなると、一般の株主はますます影響力が小さくなります。A社の経営方針をB社が「けっこうです」と認め、その見返りに、B社の経営方針をA社が認めればどうなるでしょうか。A社やB社の経営方針が必ずしも一般株主の立場からすると好ましくないものであっても、お互いに最大の株主である系列企業の経営者同士が、「けっこうです」と認め合ってしまったら、株主による経営の監視は不可能になります。

日本経済が、右肩上がりでどんどん成長していたときには、このような系列企業同士の株式持ち合いの矛盾は表面化しませんでした。高度成長下では、株主も含め、すべての人の所得が急速に増えていたので、誰も文句を言わなかったのです。しかし、日本経済の成長力が低下した現在、日本企業の低いＲＯＥ（株主資本に対する収益率）はおとなしかった株主からの批判を浴びはじめています。

また最近では、収益率にうるさい外国人投資家の日本株保有が増え、日本の経営者もこれまでのような株主の利益を無視した経営はできなくなっています。法的にいえば、企業の所有者はあくまで出資者である株主ですから、経営者は究極的には株主の支配下にあります。株主からの批判が強くなれば、経営者もこれを無視しつづけることは許されません。日本的経営が根本的な見直しを必要としている主な理由のひとつはこのあたりにあると考えてよいでしょう。

このように、企業の経営が誰によって統治されているかということが、最近話題にされることが非常に多くなってきています。企業統治のことをコーポレート・ガバナンス（Corporate Governance）と言いますが、株主の構成が国際化した結果、日本企業のコーポレート・ガバナンスも大きな改革を迫られるようになったのです。取締役会に社外取締役を入れ、外部から会社の経営について監視をさせるべきだといった取締役会の改革論議はその一例です。

どうなる？
「労働組合」

もう一度A子さんとB君の話に戻りましょう。A子さんだって、フェニックス社の年功序列、終身雇用制度のようなぬるま湯みたいな企業がこれからも生き残れるなんて思ってもいません。とりたててまずいことをしなければ、あるいは、さほどがんばらなくとも定年まで所得が保障されるシステムはモラルハザードを生み出すだけだと思っています。

「まったく、これまでの日本は先進国の仮面をつけた社会主義国だわ」とA子さんは、ひとりごちました。それを耳にしたB君はお姉さんに向かい、ふとつぶやいたのです。「そのような制度も案外いいかもしれないよ」。A子さんは、何だか思い詰めたような表情の弟が不思議でした。ぬるま湯的なところにいる人は、これからは日本も変わらなくちゃと考えますし、B君のように、すでに厳しい競争社会に乗り出した人は、その厳しさを肌身に感じているのでしょう。

A子さんの勤める大手企業フェニックス社には労働組合があります。現在の日本においては、労働組合に加わる労働者の割合は20%を割るほど少ないのです。

そもそも労働組合の始まりは社会主義運動そのものでした。考え方のもとは、あの社会主義のバイブルとされた『共産党宣言』にありました。資本主義経済では労働者が本来受け取るべき報酬（労働の限界生産物）を受け取ることができず、資本家によって搾取《さくしゅ》されている、だから、労働者は団結して自分自身を守らなければならない、という考え方です。そのかいあって、先進国といわれる国ではどこでも労働者の権利として労働組合が合法化され、また、最低賃金や労働時間などを定めた労働基準法ができました。

しかし、多くの先進国では、労働者の意識が多様になりました。単に、一律の賃金交渉をするだけでなく、従業員の仕事に対する多様な欲求をいかに会社と交渉しながら満たしていくのか、といった仕事が今後の労働組合の重要な仕事になっていくことでしょう。

フェニックス社の社員数はかなり多く、社長は数年がかりで能力主義の給料制に変えていこうとひそかに計画しています。そうしないと世界経済のなかでつぶれてしまうと感じています。しかし、労働組合は能力主義の導入にはかなり抵抗を示しています。労働者の団結のためには、平等な処遇が不可欠だと考えているためです。また、能力主義を導入するといっても、能力や業績を個人ごとに正確に測定することは困難だという理由からです。

しかし、若い従業員の間には、もっと積極的に能力に応じた給与体系にして欲しいという要求があり、組合幹部の悩みは深刻だという話をA子さんは課長から聞かされました。フェニックス社の組合活動も大きな転機を迎えているようです。

第8章

市場も「失敗する」。

万能と言われているマーケットにも、
それが有効ではなくなるケースがある。
社会的に望ましくない商品を規制したり、
道路や消防など、
マーケットで取引きできない「公共財」を供給する必要が出てきます。
そこで、政府の出番です。

市場の「すごさ」を再確認しよう

分業や貨幣と並んで、マーケットは人類の偉大なる大発明である、とこれまで述べてきました。普通の商品だけでなく、労働サービス、あるいは金融サービスについても、価格や賃金、金利などが需要と供給を調整してくれます。そして、最終的には需要と供給がマッチングされます。うまくいけば、すべての商品、サービスについて均衡が成立する一般均衡という状況が生まれることも見てきました。

高邁《こうまい》な理想にもかかわらず、社会主義経済が失敗したのは、マーケットという偉大な人類の発明を有効に利用できなかったからでした。1990年ころを境に、旧ソ連や東欧の社会主義国がこぞって計画経済から市場経済体制への転換を表明したことはご存じですね。これら社会主義国もマーケットなしには国の経済が成り立っていかないということを認めざるを得なかったのです。

今では、中国も「社会主義市場経済」を目指すと言いはじめていますが、そのうち、社会主義という言葉が消えていくのではないでしょうか。というのは、社会主義という言葉と市場経済という言葉は、基本的に相容れないものだからです。市場経済はあくまで個人の経済活動の自由を前提にしていますが、社会主義は個人の自由な政治活動を禁じているからです。経済活動は自由だけれども、政治活動は不自由という体制はおそらく長くはつづかないと思われます。

マーケットが「何を、どれだけ、どのような方法で、誰のために」有限な資源を配分するのかという大変むずかしい仕事をかなりうまくこなしていることは、奇跡的ですらあります。これに代わる資源配分の方法を見つけ出すことは、現時点における人類の能力ではおそらく不可能ですらあると思います。

ですから、読者にはここでもう一度、マーケットメカニズムの果たしている役割の本質、効率的な資源配分の意味、所得分配の決まり方、人々にインセンティブを巧みに与えている機能など、マーケットメカニズムがもっているすばらしい力、すごさ、というものを十分に理解して欲しいのです。

その上で、初めて、私たちは、「しかし、じつはマーケットといえども万能ではない」という議論に進むことができるのです。もし、マーケットのもつすごい力を十分に理解しないで、マーケットの欠点だけをあげつらうと、「何だ、マーケットって大したことないんだね。じゃあ、競争を制限したり、政府にもっといろんなことをやってもらおうか」という誤った方向に関心がいってしまう可能性があるからです。そして、残念ながら、こういった発想に陥《おちい》っている人が世の中にはずいぶんと多いのです。

私がこの本を書きはじめた動機のひとつは、まず、多くの読者のみなさんにマーケットのすごさをしっかりと理解してもらいたいと思ったからです。そうしなければ、日本社会は規制国家の社会主義的体質から、個人がもっと自由に発想し、創造力を発揮できる自由主義社会へ転換することができないだろうと思われるからです。

しかし、市場は万能ではない

「弘法《こうぼう》にも筆のあやまり」という言葉があります。弘法大師ほどの聖人でも、ときにはまちがいを犯すことがある。まして普通の人間は……、というわけですが、マーケットも、それが人類史上最大の発明といわれるほどのすごさをもっているものの、ひとり歩きばかりさせておくととんだまちがいを犯したり、解決できない難題をつくり出したりしてしまいます。市場がうまく機能しないことを「市場の失敗」(Market Failure) と言います。

この章では、機能しないマーケットをいったいどう解決していくのか、そちらのほうをじっくり見ていくことにしましょう。

(1)「望ましくない」商品の場合

アヘン、モルヒネ、コカインなどの麻薬。もちろん重い病気に対する痛み止めにも薬品として欠かせず、かなりの量が流通してはいますが、今はそのほうは問題にしません。麻薬は、私たちの目に触れないところで毎日違法に取引されています。そして、多くの場合、それは暴力団や国際犯罪組織の資金源となり、また、麻薬の常習者はみずからの肉体がむしばまれていくことを知りながら、中毒になってしまってやめられず、命を落としていきます。社会的にみても、麻薬にからんだ犯罪があとを絶ちません。明らかに、麻薬という「商品」は社会的観点からみて「望ましくない」と言えます。

報道によると、アメリカ麻薬取締局の少し前の調査では、世界最大の麻薬カルテルといわれる南米の「メデジンカルテル」の年間総利益は約300億ドルにのぼっているとのことです。カルテルとは、同業の数社だけで価格や流通を決めてしまう形のことです。南米、コロンビアの一地方を基地とするそのカルテルは、日本円で4兆円にも達する巨大な利益を上げるのです。アフガニスタンのタリバン政権下の組織であるアルカイダもその資金源を麻薬に頼っているという報道がなされていました。

麻薬を吸いたくてしようがない人間が増えていけば、私たちの社会はめちゃくちゃになってしまいます。社会的な害悪をもたらすものがマーケットで自由に取引されてよいわけがありません。麻薬が人格と社会を破壊するものである以上、たとえ旺盛《おうせい》な需要と供給があったとしても政府によって禁止されるべきものです。このように「望ましくない商品」については、マーケットは機能させるべきではないのです。

麻薬の例は誰にもわかりやすいですね。たしかに、麻薬については政府が厳しく取り締まるべきです。しかし、もっと微妙なケースがたくさんあります。たばこはどうでしょうか？　たばこを吸う人（およびその側《そば》にいる人）は肺ガンになりやすい、という統計があります。政府はこの情報をもとに、たばこを禁止すべきでしょうか？　あるいは、お酒はどうでしょうか？　お酒の飲みすぎは健康によくありません。だから、政府はお酒も禁止すべきでしょうか？　自動車事故によって死亡する人は日本で年間1万人にも達します。それでは、自動車も禁止すべきでしょうか？

それほど単純に禁止していたら、マーケットで取引できる商品はずいぶんと少なくなってしまいます。マーケットエコノミーの大前提は「自己責任」と「自立した個人」です。マーケットに参加し、何が自分にとって好ましい商品であるかという投票をする人は、当然のことながら、自分の判断で自分の人生を決めることのできる一人前の「大人」であるということを前提にしています。選挙のときの投票に参加できるのは20歳以上となっているのとよく似た考え方です。

子供がお酒を買ったり、ポルノ映画を見ることが禁じられるのは、どの商品が自分にとって望ましいのか、どの商品が望ましくないのかといった判断が、ある一定の年齢に達しないとうまくできないと大人が考えているからです。

しかし、大人だって完全ではありません。麻薬をやって失敗する人、たばこや酒を飲みすぎて病気になる人、誰から見てもつまらない買い物をしている人など、人生設計に失敗する人はあとを絶ちません。ただし、市場経済の考え方は、そのような一見まちがった判断をしている人たちであっても、あくまで個人の自主性を尊重しようというものです。ある程度の失敗はやむをえないと考えます。

たばこで肺ガンになる人がいても、それは自分の責任だから禁止はしないのですが、しかし、喫煙がほかの人の健康に悪影響をおよぼすと考えられるようになったために、「禁煙」場所が決められたわけです。

あるいは、たばこを買うのは自由だけれど、社会に迷惑をかける場合があるので、税金を高くするという決定もなされています。それによって、たばこに対する需要が抑制され、規制がまったくない場合に比べてたばこの取引が少なくなることを意図しているわけです。

このように、市場経済では、何を消費するかについての判断は、政府の役人がするのではなくて、個人が自分の責任でするというのが基本です。個人個人が正しいと思って判断したことが、社会全体としてみれば正しくないということが起こってきた場合、すなわち、「市場の失敗」が社会に多大の迷惑をかける場合に限って、「望ましくない」商品として、政府が規制するべきなのです。

それに対して、規制が多い社会では、個人に判断をゆだねる前に、政府が「あれはいけない」「これはよい」と指令を出します。しかし、これでは民主主義的な決定はむずかしくなります。個人に判断を求めても、常に正しい選択をするとは限らないのですが、かといって、独裁的な立場にあるものが強すぎる権力を行使すると、もっと悪い結果になってしまうでしょう。

民主主義政治がときとしてつまらない政治家を選んでしまうように、マーケットがつまらない商品をちまたに氾濫《はんらん》させるということは否定できません。しかし、だからといって、独裁者の判断にすべてをゆだねたほうがよいとあなたは考えますか？

おそらく「No」でしょう。民主主義は完全ではないが、独裁政治よりましだからです。

⑵「所有権の移転」ができない公共財

富士山の５合目にある売店で、富士山の空気という缶詰が売られているのを知っているでしょう？　それを下界に持ってきて缶切りを突き立てた瞬間だけは、なにやら清らかな空気がほんの少し鼻先をくすぐる感じがします。それに代価を支払うのは需要があるということですし、また付加価値も生じているのです。ここではたしかに、空気という商品には値段がつき、取引も立派に成立します。

でも、それは富士山の５合目の空気という特殊なケースの話です。私たちが毎日呼吸している空気に価値を認め、代価を支払う人がいるでしょうか。空気はきわめて貴重な資源です。空気がなければすぐに死んでしまいます。それほど重要なものですが、しかし、普通、空気は商品としては取引されていません。

その理由は、空気はふんだんに存在するだけでなく、これを誰かの所有物として独占することはできないからです。すなわち、空気には値段がつかないということです。値段がつかなければマーケットは成立しないし、マーケットでの取引はありえません。

　空気は、「公共財」のひとつです。公共財とは個人が所有権を主張できないものであり、また、値段をつけることができないものです。その反対がアイスクリームや自動車などの「私的財」です。普通の商品では代金を支払えば、それで所有権が売った人から買った人に移転します。じつはこれがマーケットが成立する条件です。お金を払ったのに自由に消費できないとしたら、誰もお金を払おうとはしないでしょう。所有権が移転できなければ、マーケットは使えないということです。

　考えてみれば、この世には売り買いのできないものが意外とたくさんあります。たとえば、道路の所有権を主張できますか？　誰かが、家の前の24番地から25番地にいたる道路を気に入ったから、売ってくれとわめいたところで、誰も相手にしないでしょう。じつは、所有権が移転できないのは、自分だけで独占して使用することができないためです。ほかの人と道路の使用を分かち合う必要があるからです。もちろん、空気も所有権を主張できませんね。

　このような例はたくさんあります。たとえば、公園。公園は都会の住民に憩《いこ》いを与えようと、税金によってつくられ、住民に無料で開放されています。誰かがそれを買い取って、柵《さく》で囲ってしまうと公園でなくなります。公園は、みんなが自由に散策できるから意味があるのです。

⑶国防や警察のサービス

　このほかにも国防とか警察、義務教育、国立病院、郵便サービスなどの公共サービスがあります。

　国防は政治的判断に基づいて整備されるべきもので、私的なマーケットにはその望ましい水準についての決定能力がありません。国防や警察は公園と同じで、特定の個人というより、国民が等しく「安全」というサービスを受けるために存在しているわけです。

義務教育はどうでしょうか。義務教育は、国民の教育レベルを引き上げるという公共的意味があります。もしこれを自由にすると、教育を受けない人が出てきて、社会全体に悪影響が出てくるというわけです。文部省は国民のレベルを一定水準にするために教科書の検定を行なったり、教育の内容をチェックしています。ただし、文部省のチェックが強くなりすぎると、教育内容が画一的になりすぎて、ユニークな人材が出にくくなる危険性があります。

国立病院や郵便サービスについては、政府が管理運営すべきかどうか、議論の余地があるところです。国が極貧状態にあり、貧しい人の健康状態を国が面倒をみる必要があるというケースはあるでしょうが（放っておけば伝染病が流《は》行《や》るなど、マイナス面が大きい)、日本のような豊かな国で果たして病院が国立である必要はあるのかどうか、微妙だと思います。郵便についても、国がやっているとどうしても効率が悪くなる（競争がないため）ので、ヤマト運輸などの民間企業が郵便サービスを提供してもよいのではないかということで、郵便事業の民営化論が出てきています。小泉首相が郵政事業の民営化を主張していることは皆さんもよくご存知でしょう。

ノーベル経済学賞のミルトン・フリードマン教授らは、義務教育や国立病院、郵便サービスなどは公共財と位置づけるべきではなく、マーケットを通じた競争原理を導入したほうが効率的だと主張しています。警察ですら、警備保障会社のように、特定の個人のための私的な警護サービスを主体にすべきだという考えもあるほどです。

昔から、「夜《や》警《けい》国家」という言葉があります。国家の役割は、国民の安全を守ることであって、それ以上のことに国家が口出しすべきではないという考え方です。この考え方は、国家が提供する公共財は最小限にして、できる限りマーケットメカニズムを利用したほうが世の中が活性化し、効率的になるという信念から出ています（小さな政府論）。これと対極にある考え方は、マーケットの失敗を重大と考え、政府の役割を重視しようという考え方です（大きな政府論）。みなさんはどちらの考え方に傾いているでしょうか？

⑷「外部性」という言葉を覚えよう

以上に関連したことですが、「外部性」という言葉を覚えていただきたいと思います。

「外部性」とは、誰かが行なった行為が他人に影響をおよぼす場合の経済効果をいいます。外部性には、他人によい影響をおよぼす場合（この場合、「外部経済」と言う）と、その反対に、誰かの行為が他人に悪い影響をおよぼす場合（この負の外部性を「外部不経済」と言う）のふたつの場合があります。

ミツバチをたくさん放し飼いにして、蜂蜜をつくっている業者があったとします。ミツバチは蜂蜜をつくるために花から花へと渡り歩きます。今、この隣に、大きな果樹園ができました。何が起こるでしょうか。養蜂《ようほう》業者は蜂蜜がこれまでよりもずっとたくさんできるようになったことに気がつくはずです。果樹園にはたくさんの果物の木が花を咲かせています。この場合、養蜂業者にとって果樹園が大きな「外部経済」を生み出してくれたので、大変得をしたのです。

このような「外部経済」は無数にあります。隣に大きな庭のある豪邸ができて、庭のない自分の家から毎日隣の庭を眺めている（借景）だけでとっても幸せな気持ちになりました、という場合も、外部経済ですね。このような外部経済をつくるために、たとえば、政府は街並みをきれいにするために、建ぺい率（敷地面積のうち、何％まで家を建ててよいかという規制）を決めたり、建物の高さ制限をしたりしているわけです。

「外部不経済」のケースもたくさんあります。川下で魚を捕って暮らしていた漁師は、あるとき魚がさっぱり捕れなくなったことに気がつきました。理由は、川上にパルプ工場ができて、川の水が著《いちじる》しく汚染されてしまったためでした。

たばこを吸うことも外部不経済を生み出します。一方、よかれと思って次々に生産される商品。鉄鋼業者はたとえばさびないステンレスが消費者の生活の質をよくするだろうから、売れると判断して日々努力をつづけます。自動車産業もまたより強く、安全なボディを開発しようと努めます。でも、鉄鋼の工場からは大気を汚染する排ガスが出ます。クルマからもチッソ酸化物やら二酸化炭素などが、大気中に排出されつづけています。これらの外部不経済を取り締まったり、規制したりするのも政府の大きな仕事です。

外部経済がある場合は、そのような社会によい影響を与える活動をもっと増やしたい。他方、外部不経済がある場合、そのような活動を制限したい。それをマーケットを通じて実現することは残念ながらなかなかできません。

そこで、政府がケースバイケースでさまざまな手段によって外部経済を増やし、外部不経済を減らそうとしているのです。外部経済に対しては、政府が公園をつくったり、都市計画をつくったり、あるいは、補助金をつけたりします。また、外部不経済に対しては規制を設けて禁止したり、税金をかけるなどして、できるだけ減らそうと努めています。

⑸独占の弊害を是正する

以上の説明で、政府の役割のひとつとは、マーケットメカニズムが働かない分野、つまりマーケットの失敗を直したり、足りない分を補ったりすることだとわかってもらえるでしょう。

そのほかに、独占企業によって自由な競争が阻害される場合にも、政府は独占企業の横暴（高い値段を消費者に要求するなど）を抑えるために、独占を禁止したり（独占禁止法）、独占企業に価格の制限をつけたりします。

たとえば、電気やガスなどの料金は、電力会社やガス会社が経済産業省に料金設定の許可を受けています。電力や都市ガスはほとんどの場合、それぞれの地域ごとに東京電力や大阪ガスといった具合に、独占企業が電気やガスを供給していますね。なぜそうなるのか。その基本的な理由は、「規模の経済」が強く存在するためです。

家族や友達などと山歩きやドライブを楽しむため山奥に行けば、大峡谷近くに建設された巨大なダムが目に飛び込んできます。莫大《ばくだい》な建設費をつぎ込んで、何十年もかかってやっとできあがったダム。実際に私たちが目にするのは、巨大な発電所と、そこから山を越えて延々とつづくこれまた巨大な送電線の列というスケールの大きい光景です。通常、黒部ダムのような巨大なダムをつくって、そこで多量の電力を一気につくり出すほうが、小さなダムをたくさんつくるよりはずっと安くなります。

つまり、多くの電力会社が競い合って小さなダムをつくるといったようなことは大変費用がかさみ、電力代も高くなってしまいます。ですから電力事業は各地域ごとに、独占企業にすべて任されるのです（ただし、電力やガスといえども、一企業にすべてをゆだねるよりも、小規模であっても工場の排熱を利用して安く発電できる場合には、営業を認めようという動きも世界的に出てきています)。経済学では技術的にみてどうしても独占企業による供給のほうがコストが安くなる場合を「自然独占」とよびます。

自然独占という形となるのは、電力のほかガス、水道、鉄道などの事業です。莫大なお金を投資すればするほど、料金はだんだん安くなるわけです。これを「費用逓減《ひようていげん》」とよび、費用逓減型の事業は必然的に自然独占にいたります。

自然独占は、やはりマーケットの失敗の例なのです。その独占事業体がやりたい放題に料金などを決めていったら、私たちの生活は豊かさとはかけ離れたものになるでしょう。そこで政府が規制をかけて、むちゃな料金設定が独占企業によって行なわれないようにするのです。ここにも政府の大切な役割があります。

所得分配を
調整する役割

政府の役割は市場の失敗を補うために、公共財を供給したり、独占企業を規制したりすることで、「市場の失敗」に対応することだということを述べてきました。

どの程度の公共財を供給し、どの程度の規制をしくのか、といった問題が出てきますが、これはマーケットでは決められません。これは投票によって、私たちが政治家を選ぶという行動のなかから決まってくるのです。

税金をたくさん徴収して、公共財をたくさん供給したい政治家を選ぶのか、なるべく税金を安くするかわりに、あまり公共財を供給しないと言明する政治家を選ぶのか、規制を多くつくって、マーケットの弊害を抑え込むことを選ぶのか、逆に、規制はできるだけ少なくして、マーケットのよいところを強調するのか。それは私たちが投票という行為を通して、選択するわけです。

政府のもうひとつの役割は、「所得再分配」を行なうことです。自由な競争のもとでは、競争に勝つ人も負ける人も当然出てきます。負ける人は失業して路頭に迷うということになります。このような人に失業保険を提供するなど、救済の手を差し伸べるということも必要でしょう。あるいは、交通事故で働き手を失った家庭に対しても、政府は何らかの手を打つべきだと思われます。このように、金持ちから税金を徴収して、貧乏な人にさまざまな形で生活を援助することによって、所得分配の極端な不平等を正すことが政府の重要な仕事のひとつです。

ここでも、問題はどの程度の所得再分配が望ましいのかということです。平等であればあるほどよいという平等主義者もいれば、がんばった人が高い所得を得て、あまりがんばらなかった人は低所得に甘んじるのは当然だと考える人もたくさんいます。平等というのは人類のひとつの理想です。社会主義も初期の資本主義社会における不平等への批判から始まりました。

しかし、平等も行きすぎると人々のやる気を損ないます。がんばってもがんばらなくてもそれほど所得に差が生じないのなら、がんばるのはほどほどにしておこうと考える人が増えるでしょう。他方、極端な不平等社会は低所得者層の不満を増大させ、社会が不安定になります。犯罪だって増えるでしょう。

どの程度の平等がよいのか、これはなかなかむずかしい問題です。原理的には、これも投票によって決めることになります。平等主義を掲げる政党に投票するのか、それとも自由な競争を推進し、多少の不平等が発生してもそれは自己責任だと考える政党に投票するのか。これは大変重要な選択です。読者ならどちらの政党に投票しますか？

平等志向の強い日本の税制

多くの先進国では、いわゆる「累進《るいしん》課税制度」を採用しています。所得が多い人ほど、高い税率をかけて税収を確保しようという制度です。日本の場合、所得税については、最高税率は50％です（国に支払う国税と地方自治体に支払う住民税の合計）。他方、夫婦と子供ふたりの標準家庭では、年間所得が360万円以下の場合には、所得税はかかりません。

所得税率はアメリカの場合、最高でも40％程度ですから、日本は高所得者にとっては酷税《こくぜい》の国だといえるでしょう。また、アメリカの課税最低限は、250万円程度ですから、日本の所得税は低所得層にとっては大変甘いということになります。

所得税と住民税、および法人税は、直接税とよばれます。直接税というのは、個人や企業が稼《かせ》いだ所得に対して課される税金のことです。これに対して、間接税というのは、商品やサービスを買ったときに課される税金で、消費税がその代表です。日本の税制は直接税中心です。それに対して間接税である消費税が近年になって導入されましたが、まだ、その税率は５％にすぎず、直接税の比率が全体の３分の２を占めています。これに対して、欧州では、消費税（付加価値税と言う）の税率が15～20％ときわめて高く、その結果、間接税の比率がかなり高くなっています。

日本の税制は第２次世界大戦後、アメリカの財政学者であるシャウプ博士が提案した「シャウプ勧告《かんこく》」とよばれる考え方を引きずるものと言われています。連合国軍は日本の財閥を解体し、民主的な政府のもとで国民に平等な生活をさせたいと考え、当時としてはかなり思いきった直接税中心の税制を日本に持ち込んだのです。

その素案をつくった占領軍の経済担当官たちの多くは、フレッシュな民主主義観をもつ若いアメリカ人でした。しかし、彼らの考え方は今から思えば、平等を目的とするあまり、かなりピューリタン（清教徒）的ないくぶん社会主義色の濃いものだったと知られています。

しかし、最近では、日本の税制を本格的に改革しようという動きが活発になってきました。いわゆる「直《ちよつ》間《かん》比率の是《ぜ》正《せい》」という考え方です。直接税を引き下げて、間接税（消費税）の割合を増やそうというものです。というのは、日本のような直接税中心の税制では、人々のやる気が出ないという問題が出てきたからです。所得税は言ってみれば「個人の努力に対するペナルティ」ですし、法人税は「企業の努力に対するペナルティ」という性格をもっています。

それに対して、消費税は「消費という行動」に対するペナルティです。消費税は所得税とちがって所得の少ない人も多い人も同じ税率です。いっぱい働いて金持ちになったら、めっぽう高額のビンテージワインを何本でも開ければいいのです。それに応じて、いくらでも消費税やら酒税を持っていってよろしい。しかし、稼いだお金を消費する前からドーンと所得税で持っていかれるのはたまらない、という声が強くなってきました。

もちろん、消費税の増税には反対が多いことも事実です。

何を買っても税金をとられるのはたまらないというわけです。このように、日本では累進《るいしん》課税率をもった所得税制を中心に考えるべきだという平等主義的な発想と、人々のやる気を重視し、日本社会を活気のあるものに改造すべきだという間接税への移行を主張する発想との間に、大きな意見の相違があります。

私の意見は、もう少し人々のやる気を起こす税制が必要であり、従って、直間比率の是正は不可避《ふかひ》だというものです。そうでないと、日本経済の長期不況はおそらく克服できません。がんばらなくても食べていける社会が長期的に繁栄することはないからです。がんばった人が正当に報《むく》われる社会にすることが今の日本には必要だと思います。

また、少子化が進む21世紀になりますと、現役で働く人の割合が減り、年金生活を送るお年寄りが増えます。所得税は現役で働く人にかかる税金ですから、所得税収入はどんどん減ってきます。税収を減らさないためには、税率を今以上に引き上げなければならないことは明らかです。これ以上所得税を引き上げれば、若い人たちの勤労意欲はいっそう減退《げんたい》することは確実です。この点からも、所得税中心の税体系は限界にきているのです。

政府の
3つの役割

さて、今まで述べてきたことを復習しておきましょう。

マーケットが失敗する場合、それを政府が補完することが必要になってきます。望ましくないと考えられる商品の取引を禁止したり、税金を高くして消費を制限したりすることはその一例でした。また、所有権の移転ができない商品については、マーケットでの取引ができません。公園や国防、警察といった、マーケットを通じては供給されないサービスについても、政府が税金を徴収《ちようしゆう》して、供給を行なうということが必要になります。独占企業への規制や「外部性」への対応ということもありました。一般に、このようなマーケットにおける取引が最適な資源配分を保証しない分野で「市場の失敗」を補完する仕事が、政府の第1の仕事です。

政府のなすべき第2の仕事は、所得再分配です。自由な競争の結果発生する許容限度を超えた不平等に対しては、政府が税制や社会保障政策を通じて是正することが必要になります。もしそのようなことをいっさい政府がしない場合には、餓死者が街にあふれたり、暴動が起こったり、犯罪が急増したりするでしょう。社会の安定のためには、適切な再分配政策は不可避です。もちろん、どこまで再分配をやるべきかについてはいろいろな意見がありますから、その決定は投票を通じて選ばれた政治家が決めるべきことになります。

そして、政府がなすべき第3の仕事は、景気を安定させるという仕事です。マーケットに任せておけば、うまくいっているときはよいのですが、へたをすると1930年代のような恐慌《きようこう》が起こってしまいます。失業者が大量に発生して、人々の所得が減り、所得の減少が景気をいっそう悪化させるという悪循環から、経済がかつてない大不況に見舞われるのが恐慌です。このような場合、政府が景気を刺激してやることが必要になります。

この政府の第3番目の仕事について考えるのが次章の課題です。とくに、今日のように、日本経済が空前の大不況に陥《おちい》っているときには、政府のこの役割はきわめて重要です。

第9章

大不況を克服する方法。

A・スミスの言う「見えざる神の手」による経済が失敗したとき、
政府は積極的に公共事業などで財政支出を拡大して
社会を安定させなくてはなりません。
ただし、
やりすぎると、
今度は「政府の失敗」が起こります。

「暗黒の木曜日」と「悲劇の火曜日」

資本主義経済の考え方のもとをつくった書物は何だか知っていますか？　すでに紹介したように、イギリスの思想家、アダム・スミス（Adam Smith）が著した古典的名著『国富論』（1776年刊行。An Inquiry into the Nature and Causes of the Wealth of Nations）でした。そのなかで「見えざる神の手」というマーケットメカニズムをうまく表現した言葉があることについても、前に紹介したとおりです。無数の財《ざい》とサービスの需要・供給がマッチングするように、市場が均衡に向かって動いていく、そして、それが限られた資源を最も効率的に配分することになる仕組み。これこそ神業《かみわざ》にたとえられてしかるべきでありましょう。

18世紀の後半にこの本が世に出てからというもの、1929年にいたるまで、市民社会はアダム・スミスが見いだした市場経済のメカニズムにそって、すばらしい発展をつづけました。このころまでの経済学者は、「マーケットメカニズムにすべて任せておけば、経済はうまくいく」と思い込んでいたのです（これをフランス語でレセ・フェール〈Laisser-faire〉、もしくは自由放任主義と言う）。

しかし、おおかたの楽観論を心底凍てつかせる事件が起きたのです。それが1929年10月24日におけるニューヨーク株式市場の大暴落とそれにつづく大恐慌《だいきょうこう》の発生です。

その前日まで、アメリカの株価はうなぎ登りでした。１年ほど前から、アメリカ政府はかつてない低金利政策をとっていました。銀行から思うがまま借りたり、大いに投資できるわけですから、巨額のお金がアメリカの中を動き回っていたのです。

第1次世界大戦の実質的な戦勝国は西ヨーロッパの連合国ではなく、連合国の装備から戦費までをまかなっていたアメリカだったのです。戦場となったヨーロッパの疲弊《ひへい》は著しく、アメリカはついにヨーロッパ諸国をしのぐ世界一豊かな経済大国となっていました。歴史上、空前の繁栄を手にしたのです。そのため、ネコも杓子《しゃくし》も株式に投資し、儲からないわけがないとの甘い幻想にひたっていたのです。そう、バブルがそこで発生したのです。

たしかに経済学者のなかには、危ないぞと感じていた人もいました。実力以上に株価が急騰《きゅうとう》していたからです。そして、その日、ついに不安が的中しました。いったん下がりはじめた株価は急落します。しかしながら、昼過ぎに銀行業者らの応急手当てでもちなおし、今度は急上昇。取引が終わる時刻の午後3時には完全にもとの水準まで戻して引けました。ところが……。

翌週の火曜日、29日。またまた突然の急落です。投機筋の不安がすべての人々を巻き込みました。こんどは噂が噂をよび込み、もう手がつけられないほどの勢いでした。空前のパニックがアメリカ全土を襲ったのです。

大恐慌はアメリカの大多数を占めていたアングロサクソン系の白人たちの生活にも大打撃を与えます。多くの白人が故郷を捨て、放浪するはめに追いやられました。その群れは「プアホワイト（貧しい白人）」と呼ばれました。ジョン・スタインベックの有名な小説『怒りの葡萄《ぶどう》』はその時代の救いようのない貧困ぶりを背景としたものです。

アメリカの歴史の教科書には、10月24日を「暗黒の木曜日」と言い、つづく29日は「悲劇の火曜日」と記されています。株価は1932年7月までにじつにピーク時の8分の1まで下落し、銀行倒産は9000件、失業率は25％に達しました。

その大火はすぐさまヨーロッパに飛び火しました。資本主義社会の一員を目指していた日本にとってもパニックは避けられませんでした。当時の日本はアメリカとは異なり、その前からすでにかなりの不況にあえいでいました。関東大震災（1923年）の痛手はまだまだ癒《い》えていませんでしたし、競争力のない銀行が相次いで倒産している時代でした（1927年に金融恐慌が発生した）。

もともと明治時代以来、資本主義を急に取り入れようと背伸びしすぎていたのです。そこに世界的な金融パニックが襲ってきたからたまりません。

1930年（昭和５年）、日本では昭和恐慌が始まり、産業界をリードしていた繊維業界でさえ減俸は25％があたりまえ、失業者は街にあふれました。そのためか自殺者が急増、年間で１万3492人という統計が残っています。

このように世界同時的な大恐慌というかつてない危機に直面していたとき、「危機をつくり出したのは、マーケットメカニズムに支えられた資本主義が不完全なためだ」という認識をもった経済学者が現われました。新たなアイデアは、不況がまだ克服できずにいたイギリスで、わずか５シリングという値段の本によって発表されたのです。現在イギリスではシリングという単位は廃止されていますが、当時１シリングは１ポンドの20分の１。現在、１ポンド＝約220円ですから、たとえ当時の物価水準を考えても、現在の日本の文庫本よりはるかに安い超廉《れん》価《か》本として世に出てきたのです。その著者は、ケンブリッジ大卒の経済学者で、名をジョン・メイナード・ケインズと言いました。

こんどは「見える手」で

ケインズが1936年に発表したその著書『雇用・利子および貨幣の一般理論（The General Theory of Employment, Interest and Money)』(通称『一般理論』) は、これまでのマーケット至上主義を修正する革命的な理論書でした。それ以降、経済学を勉強する人は誰でもその名前を口にするほどの有名な本となり、その影響はとてつもなく大きいものとなりました。このことを「ケインズ革命」といいます。

ケインズは人々が大不況の嵐にあい、心を暗くしているさまを見て、これがあの「見えざる神の手」によって引き起こされたものなのかと憂《うれ》えます。マーケットにすべてを任せておいても、必ずしも均衡は達成されない（需要と供給が一致しない）のはなぜなのか、とくに、マーケットがなぜこれほどまで大量の失業者を生み出してしまうのか。

彼の結論は、需要と供給を調整する役割を担《にな》うはずの価格（賃金を含む）が、硬直的で、十分調整能力を発揮できないためだということでした。従って、失業が大量に発生しているような不況期には、マーケットメカニズムを放任していてはダメだと結論したのです。つまり、マーケットの「見えざる神の手」を政府といういわば「見える手」(The Visible Hand) で正すことが必要だと述べたのです。マーケットの失敗に対して、政府が責任をもって出動し、景気回復にあたることが必要だということを理論的に明らかにしたのです。

なぜ、価格が硬直的で、需要と供給が一致しないときにマーケットは柔軟に動かないのでしょうか。

たとえば、労働市場で供給が需要を上回っている状態、つまり、失業が発生している状況を考えてください。もし賃金がすぐに下がってくるとしたら、失業している労働者のなかには、「低い賃金でも職がないよりましだ。就職してしまおう」と考える人が出てくるでしょう。また、労働を需要する企業の側も、「だいぶ賃金が下がってきたな、それならもう少し人を雇ってもよいな」と考えるはずです。その結果、失業は解消の方向に向かうでしょう。

しかし、賃金は不況時にも下がらないということにケインズは気がつきました。職をえている労働者は賃金引き下げには強く抵抗します。労働組合が強い力をもっているところではなおさらそうです。仮に、強引に経営者が賃金を引き下げたとすると、労働者のやる気は落ちてしまうかもしれません。

じつは、賢明な経営者は賃金をへたに引き下げると労働者がまじめに働かなくなるだろう、あるいは、賃金を引き下げると、よそでも職を見つけられるような優秀な労働者が先に辞め、よその会社では雇ってくれそうもない労働者だけが残るのではないかと考えます。これは大きな損失です。このため、経営者は不況時にも賃金をそう簡単に引き下げようとはしないのです。その結果「賃金の下《か》方《ほう》硬《こう》直《ちよく》性《せい》」が生まれることになります。

「有効需要の原理」が不況を救う

ケインズは「賃金の下方硬直性」がある状況のときに、どうすれば失業率を減らし、完全雇用を達成できるだろうかということを考えました。彼は、「賃金が需要と供給を調整してくれないのなら、政府の力で労働市場を均衡させればよ

■図9-1「賃金の下方硬直性」とケインズ政策

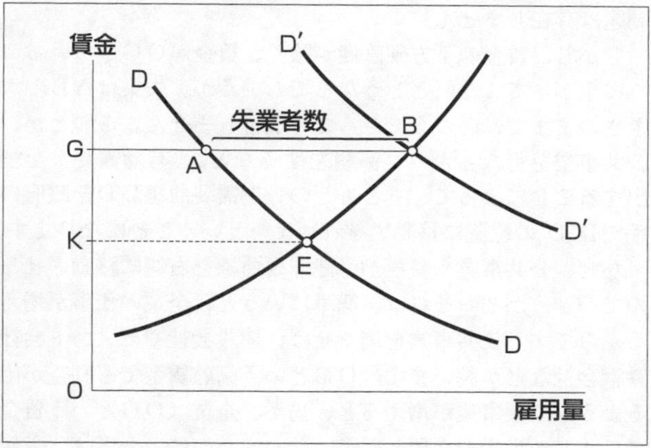

い」と考えたわけです。失業者を前と変わらない賃金で雇い入れられるのなら、不況ですからみんなついてくるでしょう。ですから、仕事を増やせばいい、つまり、政府が公共事業のような形で仕事をつくり出せば、雇用が増えると考えました。このように、雇用を生み出すために政府によってつくり出された新たな需要のことを、「有効需要」と言いますが、不況のときには、マーケットの調整に任せず、政府が「有効需要」をつくり出すことによって景気を回復させるべきだというのが、『一般理論』の中心的な主張です。

上の図9－1でいうと、完全雇用が達成される賃金はＯＫの高さで表わされています。しかし、実際の賃金はＯＧと、均衡賃金より高すぎて、そのために失業がＡＢだけ存在するとしましょう。賃金の下方硬直性がなく、賃金がすぐにでも下がりはじめるならば、やがて賃金はＯＫの高さにまで低下し、その結果、均衡点Ｅが実現するはずです。ここでは失業問題は存在しません。

しかし、賃金の下方硬直性が強く、賃金がＯＧからいっこうに下がってこないとどうなるでしょうか。失業はＡＢの大きさのままで、いつまでたっても改善しません。このとき、公共事業を行なったり、減税をするなど、「有効需要」を創出することによって、もともとの労働需要曲線ＤＤを政府の手でＤ′Ｄ′の位置に移動させればよいということになります。

なぜ、公共事業や減税が労働需要曲線を右側に移動させるのでしょうか？　それは、簡単にいうと、企業の仕事が増えるからです。公共事業を増やせば、建設会社やセメント会社、鉄鋼会社などが潤《うるお》います。ＯＧという高い賃金でも利益が出るような公共事業が増えると、当然、企業はＯＧという賃金でＧＡしか労働を必要としていなかったのに、今度は、労働需要をＧＢまで増やすようになります。

減税をすると、人々の財布の中身が減税分だけ豊かになり、消費が増えますから、ものが売れるようになります。ものが売れはじめると、企業は生産を増やそうとします。やがて、人手が足りなくなってきます。そうすると、企業はやはり雇用を増やそうと考えるようになるでしょう。このように、公共事業や減税といった「財政政策」を実行することによって、労働需要曲線を右方向に移動させてやれば、完全雇用（そのときの賃金のもとで働きたいと思っている人が全員雇われる状態）が実現します。

このように、ケインズは「見えざる神の手」による経済が失敗したとき、政府が積極的に公共事業などによる財政支出拡大をするべきだということを、初めて理論化したのでした。

「財政政策」と
「金融政策」

先の説明では、労働市場を例にお話ししましたが、一般の財の市場においても事情は同じです。

実際、自動車やカメラなどの工業製品の価格は、需要と供給の不均衡があるからといって鮮魚や野菜の卸売市場《おろしうりしじょう》のように、毎日変わるわけではありません。売れ残りがあったり、品不足の状況になっても、メーカーは値段をそう簡単に変えることをいやがります。なぜなら、そんなことをするとお客の不信感を買ってしまうからです。

昨日まで100万円だった自動車が、売れ残ったからといって、次の日には80万円だということでは、100万円で買った人は怒り出すでしょう。あるいは、100万円という価格でパンフレットを大量につくったのに、値段を簡単に変えてしまうと、パンフレットを初めからつくり直さなければならないということにもなるでしょう。このような事情があるため、売れ残りが出れば、メーカーはとりあえず価格を変えるよりも、生産台数を減らすことによって在庫の調整をしようとするのではないでしょうか。

このように考えると、多くの財のマーケットが価格の硬直性によって十分敏速に需要と供給を調整できないという事態が発生します。これは明らかに「市場の失敗」です。それを、政府が「有効需要の原理」に基づいてマーケットにかわって需要と供給の調節をするわけです。たとえば、消費が不振な状況で、政府が減税政策をとるなら、消費者の財布の紐《ひも》はゆるむでしょう。そうすれば、価格はそのままでも「有効需要の原理」が働いて、商品の市場における需要と供給が均衡に近づきます。

もちろん、政府が手を打つのは公共事業や減税といった財政政策だけではありません。中央銀行である日本銀行が金利を引き下げるといった形で金融緩和政策を発動することもしばしば行なわれています。金利が下がると、企業は借金がしやすくなり、設備投資などの投資活動が活発になります。家を建てようとしている人にも借金がしやすくなるでしょう。その結果、需要が増え、不景気が解消に向かいます。

もっとも、金融政策の場合、金利はゼロ以下には下げられないという制約があります。また、いくら金利が低下しても、工場でつくったものが売れないという状態がつづくと、誰も追加的な投資をしなくなります。現在の日本のように、金利が異常に低くなっても投資がいっこうに増えないのは、デフレの進行で実質金利が高止まりしていることに加えて、人々の日本経済に対する見方が非常に悲観的なためです。この悲観論を払拭《ふっしよく》することのほうが、こういう状態ではより重要なのです。

このような「財政政策」「金融政策」などのマクロ経済政策（しばしば総需要管理政策という）を発動することが、政府がなすべき3番目の、しかし非常に重要な仕事になります。

ケインズの理論は、その後「ケインズ革命」とよばれるほど世間でもてはやされます。とりわけ、大不況で困り果てていた当時の政治家にとって、ケインズ経済学はまさに救世主のごとく目に映ったのです。

ケインズの理論はその後「マクロ経済学」とよばれるようになり、失業やインフレーションなどの研究をする学問として大いに発展しました。したがって、「マクロ経済学」はそれまでのマーケットメカニズムによる資源配分問題を研究する「ミクロ経済学」とは視点が大きく異なるものです。

長い勝利と
その後

ケインズ経済学の応用としてあげられる代表例が、大恐慌時にアメリカ大統領に就任したばかりのフランクリン・ルーズベルトの「ニューディール政策」です。ルーズベルトは大恐慌によって、国民所得が好景気のときの半分にもなったことを何とか打開しようと、当時の若い経済学者をホワイトハウスに招き、政策の方向を決めていきました。そのスタッフたちは、新しいケインズ理論を知っていました。彼らは、のちに「ニューディーラー」とよばれます。

ニューディーラーの意見に耳を傾けたルーズベルト大統領は、矢つぎ早に「全国産業復興法」「農業調整法」「テネシー渓谷《けいこく》開発公社法」などの公共事業にかかわる法律を議会に承認させます。とくにテネシー川に建設された巨大なダムは、ニューディール政策のシンボルと言われました。もっとも、アメリカが深刻な不況から脱出できたのはこのようなニューディール政策だけではなく、第2次世界大戦のために支出された膨大な軍事費によって創出された有効需要であったと言われています。それほど不況は厳しかったのです。

大恐慌の記憶がまだ生々しく残っていた戦争直後からしばらくの間は、マーケットにすべてをゆだねるのではなく、景気循環を管理することを主張したケインズ経済学が全盛を極めました。「ケインズ革命」という言葉がよく使われました。マーケットに資源配分を任せておくだけでは危ないので、政府がさまざまな政策手段を駆使《くし》して、資本主義経済を安定的なものにすることが必要だというケインズ経済学の考え方は広範《こうはん》な支持を得たのでした。

景気が悪くなると財政政策や金融政策を発動することがあたりまえになりました。今日でも、景気が悪くなると、世論は、公共事業の追加や減税などの財政政策や企業がお金を借りやすくなるように、金利を引き下げる金融政策をすぐ求めてきますが、それほどケインズ経済学は世の中に大きな影響をおよぼすようになったのです。もちろん、景気が過熱してインフレーション（物価が上昇しつづける現象）が発生するようになると、今度は財政支出を少なくしたり、金利を引き上げるなど、景気が過熱しないように舵《かじ》取りをする必要があることは言うまでもありません。

このようなケインズ的な総需要管理政策は戦後の資本主義国の経済運営を著しく改善しました。好況期、不況期は依然として順番にやってきますが、その振幅の程度が大幅に小さくなったのです。ましてや、大恐慌時代のように、失業率が25%にもなるといった異常な事態は消滅しました。

第2次世界大戦が終わった1945年から1970年ごろまでは、ケインズ経済学に基づく政策運営は大成功したかに見えました。ケインズの『一般理論』が刊行されたのが1936年ですから、30年以上にわたる長い勝利であったと言えます。

しかし、「おごれる者久しからず」のことわざにあるとおり、ケインズ経済学に対する批判が1970年代以降、急速に高まっていきます。その理由は何だったのでしょうか？

ケインズ経済学への批判

ケインズ経済学への批判が強くなったのは、市場に対する政府の介入が過剰になってしまったために、さまざまなひずみが生まれたためです。たとえば、景気が大して悪くないのに、政府が公共事業を増やしたり、福祉を充実したりしすぎました。その結果、「大きな政府」があたりまえになってしまいました。

「大きな政府」を維持するためには、増税が必要になります。しばらくは国債を発行してしのげますが、国債はいずれ償《しよう》還《かん》する必要がありますし、利息も支払わなければなりません。ですから、結局は税金を高くせざるをえません。

また、国の仕事が増えると役人の数が増え、市場への規制や介入が日常的になるため、民主的な投票によって資源配分を決めるマーケットのもつ本来のすばらしい機能が十分に発揮されなくなってしまうといったことも起こりました。

また、ケインズ経済学の思想は、大恐慌を救うという意味では大いに役に立ちましたが、経済がまずまずうまくいっている時代には副作用が大きいことがわかってきました。つまり、ケインズ経済学は政府が景気の舵取りをすることを認めたわけですが、それが政治家に利用されてしまうという副作用です。一般に、民主主義の国では、代議士は有権者のご機嫌をとるために、橋や道路の建設を公約したり、福祉の充実を訴えたりしますね。景気が本当に悪いときには、このような政策が有効ですが、景気がよくなったときにこのような政府のお金をどんどん使う政策がとられたらどうなるでしょうか。

国の借金がどんどん増えるだけでなく、経済は過熱し、インフレが起こってきます。本当は、景気がよくなってきたときには、財政は引き締められなければならないのに、道路や橋の建設を公約にして選挙戦をくぐり抜けてきた政治家たちは、景気情勢のいかんを問わず、常に「拡張的な財政政策」を支持する傾向が強いのです。その結果、効率の悪い「大きな政府」と財政赤字が一般化し、インフレが日常化してきたのが、1970年代でした。1970年代のことをときに「大インフレの時代」とよぶのはこのためです。これは、アメリカや日本だけでなく、ヨーロッパなどでも見られた世界的現象です。ケインズ政策があまりにも安易に使われすぎたのです。

日本銀行って
何だ？

ケインズ政策の主役は財政政策ですが、もうひとつ大切な主役は、先にもみたとおり「金融政策」です。金融政策を決めるのはその国の中央銀行ですが、日本では、日本銀行（略して日銀）、アメリカでは連邦準備銀行、イギリスではイングランド銀行が中央銀行です。

中央銀行による金融政策とは、ひとことで言って、マーケットにどれだけの通貨を流通させるかを実行することにつきます。市中に出まわっている現金と預金の合計のことを「マネーサプライ（money supply／通貨供給）と言います。マーケットにどれだけのマネーサプライを出したらいいのか、あるいはどれだけ引き揚《あ》げるのか、そのためにはどれだけの金利が適当か……簡単に言って、中央銀行はそんなことを毎日、長期の見通しをもとに実行に移している機関なのです。

中央銀行が「物価の番人」とよばれるのは、通貨供給（マネーサプライ）がインフレーションと密接に関係しているからです。

たとえば、100の消費財がマーケットに出ているとき、100の貨幣供給があれば、消費財と貨幣の比率は1：1です。これが財だけが同じ100なのに、貨幣供給を200に増やしたらどうなるでしょうか。このときは、財に対して貨幣供給は2倍となります。だから、商品の価格は２倍になってしまうでしょう。逆に言うと貨幣１で買える財は0.5。半分しか買えなくなります。この状態をインフレというわけです。

しかし、インフレがいやだからと言って、貨幣供給を50に減らしてしまうと、今度は流通する貨幣が財に対して少なくなりすぎるために、大変窮屈なことになります。お金が潤《じゅん》沢《たく》にないと、多くの取引はうまくいきません。企業がお金を借りて工場を建てようとしても、銀行にお金がないので、景気は悪くなります。

ですから、中央銀行は、市中に出回っている貨幣の量と経済の実態を常に見比べながら、どの程度の貨幣供給が望ましいかということをいつも気にしていなければなりません。マネーサプライを増やしすぎるとインフレになるし、締めすぎると不況になります。それが物価を引き下げはじめると、いわゆるデフレ（デフレーション＝物価が低下しつづける現象）になります。どうです？　日本銀行がやっている仕事ってかなり重要でしょう？

中央銀行は政府の機関です。私たちはそこにお金を預けることはできません。中央銀行が取引する相手は、私たちの知っている民間の市中銀行（正確には預金通貨銀行）。東京三菱銀行やＵＦＪ銀行などの都市銀行、鹿児島銀行や横浜銀行のような地方銀行、あるいは信用金庫などです。つまり「銀行の銀行」が中央銀行というわけです。

市中銀行は中央銀行からお金を借りることができます。そのときの金利が「公定《こうてい》歩合《ぶあい》」です。日本では「日銀貸出金利」ともよばれています。現在は不況ですから、そのレート（率）は、世界中で最も低い0.1%。日銀の歴史でも最低金利です。これまで説明したとおり、低い金利だと借りやすく、そのため景気が上向くと考えられてきたための方策なのです。

しかし、現在はそれはうまく効果を発揮しているとは言えません。その理由のひとつは、多くの銀行が不良債権を大量に抱えており、その処理のために四苦八苦しているためです。

不良債権とは、銀行が企業に貸し付けたお金が企業の赤字や倒産のために戻ってこなくなった場合の貸金のことです。これが巨額にのぼっているので、企業は新たな設備投資をして工場を建てようなどという前向きの気持ちにはなれません。そのため、金利が下がっても新たな借金をしたくないし、銀行も、危ない会社に新たな融資をしたくないのです。この点については、あとの章でもう一度触れることにします。

中央銀行にはもうひとつ大切な役割があります。それは、「最後の貸手」(Lender of Last Resort) の役割です。ある銀行が経営破綻《はたん》しそうだという噂が流れますと、預金者は急いで預金を引き出そうとして、その銀行に殺到します。その銀行は通常、お客から預かったお金の大半を企業に貸し付けていますから、一度にお客さんが預金の引き出しにやってくると対応できません。つまり、「取り付け」になってしまいます。こうなると、不安が不安をよび、日本中の預金者が「自分の銀行は大丈夫か」ということで、預金引き出しに走ります。これはまさに金融パニックです。銀行への信頼が損なわれ、金融システムは崩壊します。

そうならないために、日本銀行は瞬時に必要な資金を大量に市中銀行に供給するのです。そうすることによって、「取り付け」騒ぎは収まりますし、預金者も「日銀が動いてくれるなら預金は大丈夫だ」ということで、パニックに陥らなくてすみます。このように、中央銀行は「最後の貸手」として、金融システムの安定のために市場を見守っているのです。

しかし、今日の日本のように、金融システム全体が不安定になり、世界中から不信の目で見られるようになると、日本銀行だけでなく、政府も公的資金を投入するなどして、金融の安定化をはかるなどの対策が必要になります。

実際、小渕内閣は1998年秋に預金者保護や銀行の財務内容を健全化するために、60兆円もの公的資金を用意する金融関連法案を成立させました。公的資金が導入されて金融不安はいったんは収まっていますが、これで本当に日本の金融システムが安定化し、不良債権問題が解決するかどうか、日本経済はまさに正念《しょうねん》場《ば》を迎えている状況にあります。

「大きな政府」の失敗

さて、「大きな政府」の話に戻りましょう。世界大戦の荒廃から立ち直り、多くの国々では経済環境もしだいにととのい、人々の暮らしにも少しずつ豊かさが戻りました。私たち自身のことを考えても、生活にゆとりが生まれてくれば、欲望が大きくかつ多様になります。いきおい政府に対してもさまざまな注文が殺到するようになります。実際、第2次世界大戦前には想像もできなかったような図体《ずうたい》のでかい「大きな政府」がすでに存在しています。

私の町に橋をかけて欲しい、私の村に下水道を完備してくれないか……。景気が悪くなるとすぐに、財政出動して欲しい、金融を緩和して欲しいといった要求が目白押しになるのです。

ケインズ経済学と民主主義の組み合わせがつくり出した、非効率な「大きな政府」。政府が「市場の失敗」を克服するために仕事をしてきたのですが、それを過剰にやりすぎたり、効率を大きく損なうような情勢になってきたわけです。これは「政府の失敗」にほかなりません。「市場の失敗」を補うために「政府の失敗」が出てきてしまったのですが、いったい、どちらの失敗がより深刻なのでしょうか？　これを調べることはなかなかむずかしいのですが、少なくとも、何でも政府に任せておけばよいとか、何でも市場に任せておけばよいというふうに、安易に考えてしまうことは大きな過《あやま》ちであるということを理解しておく必要があります。

現在、行政改革や財政構造改革、規制撤廃《てつぱい》の必要性が日本に限らず、多くの国で叫ばれているのは、戦後、我が世の春を謳歌《おうか》したケインズ経済学が生み出してしまった「大きな政府」に対する反省が世界的な流れとして強く出ているためだといってまちがいありません。そして、もう一度、マーケットメカニズムのよいところを再認識すべきだという考え方が台頭してきました。

しかし、ケインズ経済学がこれでもう「お払い箱」になったということでは毛頭ありません。要は、程度の問題ということです。

ミルトン・フリードマン という人物

アメリカの経済学界で大きな発言力をもつノーベル賞学者に、ミルトン・フリードマン（Milton Friedman）というスタンフォード大学教授がいます。彼はもとはシカゴ大の教授でありました。シカゴ大は東部のハーバード大と並ぶ経済学のメッカ。アメリカの政府に計り知れない影響を与える震源地でもあります。ハーバード学派はどちらかというと政府の役割を重くみる民主党寄り、これに対抗してマーケットの機能を重視する共和党寄りがシカゴ学派です。その巨頭がフリードマンでした。

この学者の意見はけっこう急進的なものとして知られています。「公共事業はほとんど民営化しろ、義務教育や警察、郵便事業さらには社会保障でさえ民間にやらせたほうがいい。また、金融政策は景気によって緩和したり引き締めたりするのではなく、一定の水準にマネーサプライを固定せよ」というのが、フリードマンの基本的な言い分です。

現代社会の基本的な問題のほとんどが、「大きな政府」の過剰介入《かじょうかいにゅう》と、それにともなって国民が何でも政府に依存する甘えにあるというわけです。マーケットをもっと活用し、競争原理を浸透させれば、人々はもっとがんばるだろうし、「小さな政府」が実現し、税金も少なくなるというわけです。

この論理、なにやらなつかしくはありませんか？　そう、アダム・スミスの本歌取りでしょう？　ケインズがいったんは葬った「見えざる神の手」を墓場からよみがえらせたのが、フリードマンだといってよいでしょう。

フリードマンの主張には背景があります。1960年代から70年代初めにかけて、アメリカは世界の警察国家を自任して、キューバやベトナムをはじめ世界中の紛争地に積極的に出ていきました。政府にとっても大変な出費でした。また、社会福祉予算が膨張《ぼうちょう》し、失業保険をもらえるのなら働かなくてもよい、と考える人たちも増えました。そのため、国内産業の活性化はないがしろにされ、国家財政も大幅に赤字になりました。なにせ「大きな政府」でしたから。このような「大きな政府」の矛盾はイギリスでも起こっていました。

1980年前後に相次いで米英両国の指導者となったのが、ロナルド・レーガン大統領とマーガレット・サッチャー首相でした。両リーダーは、国民の間にモラルハザード（国がいろいろなことで保障してくれているので、自らは努力する必要がないと感じて怠《なま》けている状態）が生まれているのを憂えて、もう一度経済に活力をもたらそうと、徹底的に規制緩和による競争促進と「小さな政府」を目指しました。おそらく、その理論的支柱がミルトン・フリードマンだったと思われます。

彼らがマーケットを重視した政策を打ち出して、もう20年以上の月日がたちますが、両国経済はそのような構造改革を実行しなかった日本のような国に比べてはるかに元気です。とくに1990年代のアメリカ経済の好調ぶりは目を見張るものがありました。レーガンとサッチャーの「小さな政府」、マーケットメカニズムの活用が今日の両国経済を再生させるのにどの程度力を及ぼしたのか、誰にも正確にはわかりませんが、彼らの政策が今日、両国経済の活性化に多少とも役立ったことは否定できないと思います。もちろん、矛盾も出はじめています。富む者と貧しい者の差は想像以上に大きくなる傾向にあります。アメリカはいずれまた、所得分配を平等化する方向に向かうと思われます。

現在、ケインズ理論を採るべきなのか（景気対策を何よりも重要と考えるのか）、あるいはフリードマンのようなマーケット重視の考え方（構造改革を優先）がよいのか、単純に軍配を上げるにはいたっていません。おそらく真実は、両者の中間にあるのだと思います。

アメリカの著名な経済学者ジョセフ・E・スティーグリッツ（Joseph E.Stiglitz）はある日本の新聞のインタビューでこう語っています。

「政府とマーケットは、お互いにパートナーで相互に補い合う同士だ。マーケットに任せっきりではだめ。マーケットも政府も失敗する。うまくバランスをとるべきだ」

そして、次のように結んでいます。

「政府は民間から多くを学ぶべきだ」と。

第10章

グローバルエコノミー。

人やものの移動に加え、
コンピュータネットワークの発達は、
しだいに地球から国境の壁を取り払っています。
世界中のマーケットが一体化した経済活動の渦中で、
私たちは今後
どのような発想で行動すべきなのでしょうか。

国境が消滅しはじめた！

これまでの人間の歴史のなかでも、最近ほど、ヒト、モノ、カネ、企業が自由に国境を越えて激しく移動する時代はありません。

実際、身の回りを見渡しても、外国製品があふれています。フランスやイタリア製のしゃれたネクタイ、スカーフ、ドレスは言うにおよばず世界各国のワイン、ドイツの自動車、中国の繊維製品や家電製品、台湾やマレーシア製の家電。そして、我々の口に入る食料の多くは外国からの輸入品です。

街には、外国の銀行や証券会社が増えていますし、海外への旅行者は年間2000万人に迫る勢いです。日本企業の外国への投資も昔に比べるとずいぶん多くなりました。

他方、最近のアジア通貨危機のように、外国で起こった経済事件はたちまち、自国にも跳《は》ね返ってきます。逆に、日本の経済情勢も私たちの想像以上に世界に影響を与えているのです。今や、経済問題を考える場合には、いやがおうでも世界のマーケットを意識しないわけにはいかなくなりました。

昔は小さな地方都市を中心に形成された市（いち）で商品の交換が行なわれていました。しかし、手紙や電信・電話などの通信手段、自動車や貨物、飛行機などの輸送手段の発達によって、マーケットはより広い範囲に広がり、やがてそれは国全体に広がりました（ナショナルマーケット）。

さらに、最近では、インターネットをはじめとするコンピュータネットワークのおかげで、多くの分野でグローバルなマーケットが形成されるようになりました。今や、地球の裏側のニューヨークやロンドンの金融市場の動きは瞬時にわかります。

また、サッチャー首相やレーガン大統領の登場以来、世界的な市場開放への政治的動きが活発になり、国境の壁は急速に消滅の方向にあります。

現に、ヨーロッパ諸国は欧州連合（ＥＵ）を形成しつつあり、欧州諸国間でのヒト、モノ、カネの動きは原則自由になっていますし、欧州各国で通用していた通貨すら「ユーロ」という単一通貨へ統一されました（1999年１月）。2002年からはドイツ・マルクやフランス・フランなどの通貨は消滅してしまいます。このような動きは、200年以上にわたってつづいてきた国家中心のものの考え方（ナショナリズム）を地域中心のものの考え方（リージョナリズム）へ、さらには地球全体を統合したものの考え方（グローバリズム）へと変える歴史的な転換を象徴しているといえるでしょう。

また、1989年のベルリンの壁崩壊を記憶している人も多いと思います。それまで、社会主義国の東ドイツと資本主義国の西ドイツは東西冷戦構造のなかで厳しく対立していましたが、このときを期して東西ドイツは統一しました。また、旧ソ連やそのほかの東欧諸国も、次々に社会主義体制を放棄し、市場経済体制（マーケットエコノミー）への転換を始めています。今や、東側諸国も西側諸国と急速に接近し、文字どおり、グローバルな市場が形成されはじめているのです。わずか、500年あまり前にコロンブスが西インド諸島に到達したことを思えば、地球は本当に狭くなったものです。

サッカーのワールドカップやオリンピックの盛り上がりを見れば、政治の面、あるいは国民感情の面では依然として国単位の考え方（ナショナリズム）が強い力をもっていることがわかります。しかし、経済活動という観点からみると、各国に分散され、隔離されていたローカルなマーケットは、しだいにグローバルなマーケットに統合され、その結果、国境の壁は消滅の方向に向かっていることがわかります。

「情報革命」が変える世界

世界の市場が一体化した経済を「グローバルエコノミー(global economy)」とよびます。グローバルエコノミーが現実的な意味で機能するためには、情報化の進展が前提です。

マーケットはロビンソン・クルーソー的な自給自足では生まれようがありません。複数の人間が出会って、物々交換が始まり、その結果、徐々にマーケットでの取引が発展するわけです。なぜマーケットでの取引が発展したのかって？　ほとんどの読者がもう答えられますよね。取引のない世界に比べて、取引をするほうが生活が豊かになるからです。

さて、孤島に生活するロビンソンは遠くにある別の島に、いったい何があり、それをどうやって手に入れるのかについては見当がつきませんでした。仮に、伝書バトを使って、別の島で何が起きているかを知ることができたら、彼は欲しいものを手に入れようと工夫するはずです。つまり、情報が交《こう》易《えき》、すなわち貿易の前提だというわけです。

その昔、遠くに住む人々は細々と交易を行なっていました。ユーラシア大陸を横断するシルクロード、広い太平洋の島伝いにカヤックなどを用いての「海の道」……。人々はたとえ身の危険があっても交易に挑みました。そこには、珍しいものを手にしたいという人々の飽くなき欲望があったのです。その最たるものが、コロンブスが1492年に西インド諸島に到達した大事業でしょう。

イタリア人のコロンブスは、スペインを出航して大西洋を横切ったすえにやっとたどり着いた海岸が、インド大陸だと信じて疑わなかったと言います。彼は、シルクロードとは逆のコースで、東洋の香辛料やシルク、貴金属を大量にポルトガルとスペインに運び込もうと、あえて船旅に出たのです。船だと、馬やラクダによる交易より、大量にかつ早く運搬することができるからです。

彼が上陸したのは、そのじつ西インド諸島のとある島にすぎませんでした。西インド諸島とは後世につけられた名。コロンブスの勘ちがいがそのまま島のネーミングとして残されたのです。しかし、コロンブスの勘ちがいは、彼ほどの知識人、そして有能な航海士にして、海の向こうに何があるのかについてはまるで無知であったことを物語っています。

イタリア人であったコロンブスが大航海に乗り出したころ、祖国ではいわゆるルネサンス運動が盛り上がっていました。文字どおり、「人間性再発見」の時代でした。同時に天文学や科学もかなり進んでいたのです。それにもかかわらず、コロンブスほどの人物が地球の裏側をまったく知らなかったわけです。つまり、情報化がまだまだ原始的なレベルにあったことを示しているのです。いずれにしても、コロンブスの新大陸到達は、グローバルエコノミーへの第一歩となったわけです。

それでも画期的な情報化は、電話が発明される19世紀末まで待たなければなりませんでした。しかし電話機の発明からパソコンによる情報のやりとりまでは、あっという間の短い期間でした。最近ではコンピュータを介した情報伝達がきわめて安いコストで可能になり、十数年前まではとうてい考えられなかったような大規模な国境を越えた取引が行なわれるようになったのです。

実際、最近の傾向として、世界の経済成長率より貿易額の伸び率のほうがかなり高くなっていますし、ドルを売買したり、外国の株式を買うなど、国境を越えるお金の総額の取引高は1日になんと1.5兆ドル（1ドル＝120円として、180兆円ほど）にも達しています。これは商品の貿易額に比べて、数十倍に達する巨大な金額です。巨大すぎて、想像できかねるというのが正直なところでしょう。

自由貿易は消費者の利益になる

自由貿易がどんどん拡大した理由は、貿易に参加する人たちの生活が、貿易をする前の状態に比べて格段に豊かになったためです。もし、貿易をすることによって、それ以前より生活水準が下がるのなら、誰も貿易取引に応じることはしないでしょう。もちろん、強大な国が弱小な国に貿易を強要するということはありえます。たとえば、植民地時代には、植民地は宗主国の思うがままに不利な条件での取引を強要され、搾取《さくしゅ》されました。しかし、これは自由貿易ではありません。自由貿易はあくまで、貿易に従事する人たちの自律性（自分の意思で取引するかどうかを決められること）がなければ成立しません。

自由に貿易することで、なぜ利益になるのでしょうか？それは、第1に、国によって得意とする産業が異なるためです。自国が相手国に比べて生産するのが得意な商品（たとえば、日本にとって得意な商品には自動車やウォークマン、テレビゲームソフトなどがあります）を輸出し、逆に、相手国が得意とする商品（たとえば、アメリカを相手国とすると、ウィンドウズやインテル製マイクロプロセッサーのペンティアム、あるいはボーイング社のジャンボジェット機など）を輸入すれば、双方にとって利益がもたらされることは明らかでしょう。

日本人はウィンドウズやペンティアムを使うことにより、高性能のパソコンを多くのソフトを使って動かすことができます。もし、これらの製品の輸入が禁止されていれば、日本は完全に世界から置いてきぼりを食ってしまうでしょう。他方、アメリカ人も、日本製のすばらしく燃費のよい、故障しない車を使えますし、若者はウォークマンのようなアメリカにはない商品で生活をエンジョイできます。テレビゲームも同様です。

それぞれの国が得意とする製品は、相手国にない独創的な製品であったり、相手国がつくるより品質がよく、安くつくれたりします。お互いに安くつくれ、品質のよい製品を交換できれば、貿易しない場合に比べて、消費者の生活は明らかに豊かになります。鎖国をしていて貿易ができなければ、不得意な分野の品質のよくない製品を、高いコストでつくらざるを得ないため、消費者はしようがなく劣悪で、高い製品をがまんして使わなければなりません。

貿易がお互いの利益になる第２の理由は、第１の理由と似ていますが、消費生活に多様な選択肢《せんたくし》が増えることです。たとえば、日本は自動車を大量に輸出していますが、同時に、ヨーロッパやアメリカの車を輸入しています。いくら日本の自動車の性能がすぐれていたとしても、人によっては日本車のスタイルは気に入らないかもしれません。ＢＭＷに乗ってみたい人もいれば、フェラーリに乗りたい人もいます。人々はひとりひとり趣味がちがうわけですから、できるだけ多様な選択ができるほうが好ましいのです。

「選択の自由」があるということは、生活を豊かにする上できわめて重要ですね。選択の自由がなく、１種類の自動車、１種類の制服、１種類の酒、１種類の家、１種類の靴しか手にできない生活がいかに悲惨なものか、想像することすら困難なほどです。自由貿易は、同じ種類の製品のなかの選択肢を拡大してくれます。

　このように、自由貿易は消費者の満足度を引き上げてくれるのです。

低賃金国との貿易は
不利か？

　ところが、自由貿易にはさまざまな反対があるのが普通です。いわゆる「保護貿易主義」というやつです。

　その根拠のひとつが、貿易相手国が自国よりも低賃金である場合、競争上不利だから自由貿易はやめようという考え方です。たとえば、日本が欧米に追いつくのに必死になっていた30年ほど前には、アメリカ人は「日本は低賃金国だから、日本との貿易はアンフェアだ」とよく主張したものです。あるいは、現在、中国人の平均賃金は日本人の30分の１程度にすぎないため、日本の経営者は中国との競争はかなわないと弱音《よわね》を吐いたりします。

　しかし、よく考えてみると、賃金というのはその国の労働生産性を反映して決まっていきます（第７章を思い出してください)。労働生産性とは、ある商品をつくるのに、どれだけの労働力を投入しなければいけないかということを計算したものです。

　たとえば、自動車を１台つくるのに、ある国Ａでは平均

100人の労働者を必要としました。しかし、もっと能率のよい国Bは同じ自動車をつくるのに、50人しか必要としなかったとしますと、Ｂ国はＡ国の２倍の労働生産性をもっていることになります。

労働生産性が高い国は、それだけ労働者が能率的に働いてくれているわけですから、高い賃金を支払っても引き合うのです。他方、労働生産性が低い国では、労働者の貢献《こうけん》度《ど》は低いので、低賃金しか支払えないのです。低賃金が低い労働生産性の反映であるとすると、「相手国の賃金が低いから、貿易はアンフェアだ」という考え方にはむりがあることがわかりますね。賃金が低いということは、それなりの理由（生産性が低い）があってのことだからです。

この例の場合、Ａ国の賃金がＢ国の賃金の半分であったとします。１台の生産費は両国でまったく同じとなりますから、「低賃金国のほうが有利だ」ということは言えなくなります。

それでも、資本などに比べて労働をたくさん雇用しなければならない産業（これを労働集約的産業という）では、低賃金が魅力的なことは事実です。そこで、高賃金国の企業は、低賃金国に工場を建てるなど、「海外直接投資」（これに対して、外国の株式や国債などに投資することを間接投資、もしくは証券投資と言う）をするということが可能性として考えられます。現地に工場を建てて、自国のすぐれた技術や経営のやり方を移植しながら、低賃金で人を雇うのです。そうしますと、自国の高い技術が労働生産性を引き上げます。しかし、低賃金国では低い賃金で人を雇えますから、企業は利益を上げることができるでしょう。商品を輸出するかわりに、直接投資によって「工場を輸出する」ことで利益を上げようというわけです。

1985年以降、急速に円高になりましたが（1987年までに１

ドルが240円から120円まで円高が進んだ)、このことは自国の賃金が外国の賃金よりも高くなることを意味しましたから、多くの日本企業は賃金の安いアジア諸国に大量に直接投資しました。

そのようにしてアジア諸国でつくられた製品が大量に日本に輸出されたため、今日では、たとえば、家電製品の多くはアジア製になりました。日本でつくっていた場合よりも同じような品質の製品を安く生産できるようになったわけですから、日本の消費者はそれだけ潤《うるお》ったことになります。もちろん、進出先のアジア諸国もすぐれた技術が直接投資によって移転されたため、工業化が進み、経済成長が加速されました。貿易だけでなく、直接投資という資本の移動も、双方の利益になるということがわかります。

リカードの
「比較優位の原理」

自由貿易に対するもうひとつの有力な批判は、「貿易によって発展途上国は先進国に搾取されている」というものです。これは、「低賃金国(発展途上国)と貿易すると高賃金国(先進国)が不利になる」という(まちがった)批判の裏返しです。「先進国はほとんどすべての産業において途上国と比べて〝絶対的な〟競争力の優位性を確立しているため、発展途上国はすべての領域で競争に負けてしまう」というわけです。これも自由貿易に対する反対論として、途上国側からしばしばなされる議論です。

しかし、この批判も当たっていません。正しい考え方は、「たとえ、すべての産業で、先進国のほうが生産性が高く、

〝絶対的な〟競争優位をもっていたとしても、貿易の利益は消滅しない、つまり、両国とも自由貿易の利益をえることができる」というものです。なぜでしょうか。ちょっとややこしいですが、自由貿易に対する考え方の根本にあたる部分ですから、がまんしてついてきてください。

今、先進国である自国は自動車をつくっても米をつくっても、ある途上国よりも生産性が高いとします。具体的な例をあげましょう。自国は自動車１台をつくるのに、10人の人間を必要とし、米１トンをつくるのに20人の人間を必要とするとしましょう。途上国は、自動車１台をつくるのに100人、米１トンをつくるのに50人の人間を必要としたとします。この場合、自動車をつくらせても、米をつくらせても、自国のほうがより少ない労働力で生産できますから、両産業とも絶対的な競争優位にあります。このような場合、貿易から利益をえるのは自国だけでしょうか。両国における分業の可能性はないでしょうか？

答えは、「このような場合でも、貿易は両国に利益をもたらす」です。なぜでしょうか？　説明を簡単にするために、両国の労働人口はともに1000人だったとしましょう。貿易を始める前、両国では自動車生産に500人、米の生産に500人が従事していたとします。すると、自国では、自動車は50台（500÷10）、米は25トン（500÷20）生産でき、消費者はこれを消費しています。他方、途上国では、自動車は５台（500÷100）、米は10トン（500÷50）つくり、これを国内で消費しています。たしかに、自国のほうが途上国より生活水準が高いことがわかります（P.222の**表10-１**）。

ちなみに、両国の生産を合計しますと、自動車は55台（50＋５）、米は35トン（25＋10）です。

今、両国で分業をした上で、貿易をすることにしました。

■表10-1　分業前の生産台数

（先進国の人口＝1000人、途上国の人口＝1000人、自動車生産と米の生産に従事する人数はそれぞれ500人であった場合）

先進国

	自動車	米
1単位生産するのに必要な労働者数	10人	20人
生産できる数量	50台	25トン

途上国

	自動車	米
1単位生産するのに必要な労働者数	100人	50人
生産できる数量	5台	10トン

先進国＋途上国

	自動車	米
合計生産数量	55台	35トン

■表10-2　分業後の生産台数

（先進国の人口＝途上国の人口＝1000人）

先進国

	自動車	米
1単位生産するのに必要な労働者数	10人	20人
それぞれの産業で働く労働者数	600人	400人
生産できる数量	60台	20トン

途上国

	自動車	米
1単位生産するのに必要な労働者数	100人	50人
それぞれの産業で働く労働者数	0人	1000人
生産できる数量	0台	20トン

先進国＋途上国

	自動車	米
含み生産数量	60台	40トン

自国は米の生産に従事する人を100人縮小し、自動車会社のほうに転職したとします。そうしますと、自国での自動車生産は60台に増えますが、米の生産は20トンに減ってしまいます。他方、途上国は能率の著しく悪い自動車生産をやめ、米の生産に全労働力をつぎ込むことにしました。その結果、途上国における自動車の生産台数は、ゼロになりましたが、米の生産は20トンに増えました。自国と途上国の合計でみると、自動車生産は55台から60台へと5台増えました。また、米は35トンから40トンに増えています。

分業をすることによって、自動車の生産台数も、米の収穫量も増えたではありませんか（P.223の**表10-2**）! あとは、自国が自動車を途上国に輸出し、米を途上国から買い、逆に途上国は米を輸出し、自動車を輸入すればよいのです。自動車と米の交換比率がどう決まるかというちょっとややこしい話は省略しますが、もし、自国が自動車を52台、米を28トン消費し（これは貿易前よりもそれぞれ2台、3トン多くなっている）、途上国が自動車を8台、米を12トン消費すれば（これは貿易前より、それぞれ3台、2トン増えている）、両国とも貿易によって利益を得たことになります。両国の消費者の生活水準はたしかに上がったのです。

この場合、両産業とも、「絶対的」な競争力は自国にあったのですが、分業を、「比較的」競争力のある産業のほうに特化する形で行なえば、分業の利益がえられるということになります。自国は自動車のほうに、より多くの労働者を割り振り、途上国は米の生産に特化したのはこのためです。このようなことを厳密に証明したのは、リカードという経済学者で、「比較優位の原理」とよばれています。「比較優位の原理」はそれ以後のより精《せい》緻《ち》な貿易理論を築いていく上で、最も重要な基礎をつくりました。

それでも「保護貿易」は なくならない

以上を読んだ読者は、なるほど自由貿易はすごいんだ！ と納得されたのではないでしょうか。しかし、現実を見渡すと、自由貿易に反対する政治的動きはあとを絶ちません。農業保護はどこの国にも存在していますし、途上国は先進国並みに貿易を自由化することに難色を示すのが普通です。なぜでしょうか？　政治家が経済学を十分理解していないためでしょうか？

部分的にはそうです。もし、世界中の政治家がマーケットの意味を熟知し、自由貿易の利益についてしっかりと理解していたなら、世の中はかなり変わっていたことでしょう。しかし、保護主義に傾く正当な理由もじつはあるのです。

その最も重要な理由は、自由貿易が各国間の分業を進める結果、国内における所得分配に深刻な影響が出てくるということにあります。先の例でいえば、自国は米の生産を減らして、自動車生産を増やしました。もし、労働者がある産業から別の産業へ、ある企業から別の企業へ、自由に転職できるような場合、たとえば、昨日まで米づくりをしていた農家が、今日からは自動車会社で働くことができ、給料も増えることはあっても、決して減らないのであれば、誰もそれほど反対しないかもしれません。しかし、現実はちがいます。米の生産を減らすとなると、農家は都会の自動車会社に転職しなければなりません。長年住み慣れた農地を離れるのは悲しいことかもしれないし、農地の一部は不必要になるため、とくに地主は所得の機会が減ってしまうでしょう。

もちろん、自動車産業は貿易によって潤いますから、自由貿易に賛成するでしょう（ただし、自動車生産をやめる途上国では自動車産業の関係者は猛反対するでしょう）。自動車会社の株主は輸出によって利益が増えるでしょう。通常、輸出産業に従事する人たちが自由貿易に賛成し、輸入に回らざるをえない産業に従事する人たちが保護主義に傾くのは、産業構造が自由貿易によって大きく変わるために、産業転換のコストが発生したり、所得分配に大きな変化が発生するためです。国全体としては（あるいは、消費者にとっては）、自由貿易を推進したほうが生活水準が上がるので好ましいのだけれども、輸入産業に資本や土地を提供している人たちの利益が損なわれるため、彼らが政治家に自由化反対を訴えることになり、自由化はなかなか進まないということになりがちです。

このようなことを考えると、自由化を推進する上で大切なことは、自由化によって損失をこうむる人たちに相応の所得補償をするといった政策の発動だと思われます。自由化によって得られる利益の「一部」を自由化によって損をする人たちに再分配するわけです。それでも、国全体にとっての貿易の利益は残りますから、そのような必要な措置をこうじた上で、自由化を推進するのが正しい考え方なのです。

「収穫逓増《しゆうかくていぞう》」と「幼稚産業保護論」

もうひとつ、自由貿易の強敵は「収穫逓増」の存在です。収穫逓増とは、第6章で詳しく見たとおり、規模が大きくなればなるだけ「規模の経済」が働いて、生産のための費用が安くなる現象のことです。この場合、ほかより一刻も早く大きな工場を建てたり、ほかより一刻も早く新製品を開発することによって、マーケットの大半を我がものにしてしまうことが可能になります。あとから競争に参加しようと思っても、先行企業が低いコストで生産できるように、すでに規模を拡大してしまっていたとしたら、勝負にならないことは明らかです。

半導体やウィンドウズのようなコンピュータソフトの場合、収穫逓増が強く働くので、先行した国の優位性は明らかです。こういう状態で自由貿易をすると、特定の国が重要な商品分野で世界のマーケットを独占してしまうため、「アンフェアだ」ということになります。ただし、収穫逓増のために、コストは安くなりますから、世界中の消費者は安い商品を買うことができます。しかし、世界中の消費者を顧客として獲得した国の企業は大いに潤いますが（マイクロソフト社など）、他国は収穫逓増の利益を得ることができず、経済は低迷するかもしれません。

これとよく似た議論に「幼稚産業保護論」があります。ある産業が一人前の競争力をもつようになるには、産業を育てる時間が必要だとしましょう。そうすると、発展途上国がその産業を育成し、先進国と競争できるようになるまでは先進国からの輸入を制限することが必要だ、ということになるでしょう。そういった産業の数が多ければ、保護主義が幅をきかすことになります。事実、1970年頃までの日本の自動車産業はこの典型でした。

日本の自動車産業が競争力をもたなかった1960年代に、通産省は外車の輸入をほとんど認めませんでした。逆に、自動車産業に対しては、税金を安くしたり、補助金を出したりするなど、さまざまな支援（これを産業政策と言います）を惜しみませんでした。その結果、自動車産業はめきめきと力をつけ、1970年代から80年代にかけてアメリカ市場を脅《おびや》かすほどになったわけです。

このような「幼稚産業保護」のために、自由貿易を一時的に停止するという考え方は、日本の自動車産業の成功などを考えるとそれなりの理由があるように思えるでしょう。たしかに、そういう側面があることは否定できません。しかし、幼稚産業を保護育成するという名目で保護政策をつづけ、規制を強化した結果、その産業がますますだめになっていくというケースのほうがじつは圧倒的に多いのです。「幼稚産業保護論」は保護貿易によって利益をえる人たち（規制や保護によって外国との競争にさらされなくなることによって利益をえる企業や、そういった企業から献金を受ける政治家、保護している企業に天下りができる官僚など）の絶好の隠れ蓑《みの》になることが大変多いのです。

保護主義への
誘惑

ここでも「見えざる神の手」を放任してはいけない、という政治的動きが出てくるのです。消費者の欲望に従ってばかりいると、国内産の製品にまったく魅力を感じなくなる。ひいては国内産業が大打撃を受け、やがて消えてなくなるのではないか……、こう考える政治家や業界団体などが出てくるのです。

経済活動の原則は消費者の利益にあるはずです。国内の生産者であれ、外国の生産者であれ、消費者に最大の満足を与えるのが仕事であり、それに成功すれば大きな報酬が約束されますが、失敗すれば市場から退出しなければなりません。

だから、国内の生産者はしばしば政治献金をするなどして、外国の生産者（や国内の新規参入企業）を市場から閉め出すべく、政治家に働きかけたりします。

しかし、このような誘惑にのって保護をつづけていると、かえって競争力がなくなってしまうことが多いのです。たとえば、日本でも保護を受けてきた産業ほど国際的な競争力は弱く、逆に、世界との競争にさらされるような自由貿易の対象になってきた産業ほど競争力は強くなっています。

前者の代表的な例は銀行や証券会社などです。ビッグバンが始まり、いよいよ、金融業界も自由競争の時代に入ろうとしていますが、これまで大蔵省（現・財務省）があまりに長きにわたって手取り足取り、業界を指導してきたために、多くの金融機関は国際的な競争に耐えられないといわれています。そのほかにも、農業、建設業、流通業、石油業界など、保護産業であったところはほとんど競争力に問題があると言われています。

逆に、自動車やエレクトロニクス、工作機械など、激しい国際競争にさらされてきた産業の競争力は抜群です。ただし、最近では中国の台頭などでエレクトロニクス産業の一角が競争力低下にあえいでいます。

たしかに、「収穫逓増」という現象や「幼稚産業保護論」は真剣に議論する価値のある事がらです。しかし、それを盾《たて》に、何かあるとすぐに保護しよう、規制しようということになってしまったら、マーケットメカニズムのよさがほとんどの分野で発揮できなくなり、経済は活力を失ってしまうでしょう。

日本経済の低迷は、しばしば、日本が規制大国だからだと言われています。日本はたしかに多くの規制がありすぎます。これでは、若い人たちは窒息《ちつそく》してしまいます。何か新しいことに挑戦しようとしても、規制があってできないということになるからです。

ただし、保護貿易の動きは何も日本ばかりとは限りません。農業に関してはどの国でも程度の差こそありますが、一定の保護措置をこうじています。発展途上国での戦略的産業分野での保護策は日常茶飯事ですし、最も開放的といわれるアメリカですら、安全保障にかかわる産業は保護の対象になっています。

グローバルエコノミーでは、すべての国が共通ルールで公正な競争をしようというのが鉄則です。たとえば、ある国で認められているビジネスのやり方が、別の国では禁止されていたり、官僚がいちいちビジネスに口出しする国と、そうでない国があったり、税金の仕組みが国によって大きくちがっていたりすると、自由な取引はむずかしくなります。従って、少なくとも、基本的なビジネスのやり方や制度については、各国で共通なものにしておこうという動きが現在強く出ています。その共通のルールや制度を「グローバルスタンダード」と言っています。世界標準という意味です。

統一通貨
「ユーロ」誕生！

1999年1月1日。ヨーロッパ11カ国に共通の新通貨、ユーロ（Euro）が誕生しました。2002年からは、マルクやフランなど各国通貨は流通しなくなります。

戦後のヨーロッパ諸国は、アメリカや日本の経済的躍進に脅威《きようい》の念をもちつづけてきたと言ってよいでしょう。また、ヨーロッパ諸国間の戦争を二度と繰り返さないために、ヨーロッパ諸国はもっと仲よくしなければならないという機運も高まりました。このような状況のなかから、国境を取り去り、欧州同盟をつくり上げようという壮大な歴史的実験が始まったのです。

関税を撤廃すること、商品だけでなく、資本や人、企業が国境を越えて移動することを自由にすること、工業規格や会計基準、税制や農業保護のやり方まで、できる限り共通化すること。そしてついに、通貨を統合して、ヨーロッパ中にたったひとつの通貨、ユーロを流通させることまで、ヨーロッパの人たちは決意したのです。

欧州統合はまさに国民国家（Nation State）を主体とする国際政治の世界に、新しい時代を呼び込むほどの大きなインパクトをもつ歴史的事件だと思います。ヨーロッパ人をこのような実験に駆《か》り立てたものは、先にも述べたとおり、アメリカや日本という経済大国が規模の経済（収穫逓増）の利益を満喫しているのに、せいぜい4000万程度の人口しかもたない欧州各国が各国別々に勝負している限り自国のマーケットが小さすぎて国際競争に勝てないという強い危機感でした。

いろいろな制度や法律を標準化するための努力が長期にわたってつづけられてきました。それぞれの国には特有の文化や歴史的伝統があります。従って、各国の制度を共通化するということになると、大変な反対運動がわき起こってくるのは当然です。このため、欧州統合の実験は成功しないだろうという悲観論が根強くささやかれてきたのです。しかし、グローバルな大競争の波は情報革命の進展にともなって加速度的に世界を覆《おお》いはじめており、この面からみれば、ますます欧州統合の必要性が痛感されることになりました。

今のところ、欧州の人々は欧州統合に非常に大きな夢を抱いているように見えます。欧州統合が実現しなければ、欧州諸国は大競争時代に脱落していくという危機感も大変強いのです。マルクやフランという伝統的な自国通貨が消えても、経済競争に勝ち抜き、欧州をグローバルプレーヤーとして延命させたいという強い意志が欧州統合の動きをリードしているのです。国単位でものを考える習慣がことのほか強い日本人にとって、欧州統合の動きに注目し、その意味を理解する必要性は日増しに高まっています。

第11章

GDPの概念とデフレ経済。

新聞紙上などによく出てくる
GDPというのはどのようなものでしょうか?
また、最近の日本経済は
「デフレ」だと言われていますが、
そのじつこのデフレ経済というのは
私たちの生活に重大な影響をもたらすものなのです。

ＧＤＰって
何だ！

まずはＧＤＰ（Gross Domestic Products／国内総生産）のことを考えてみましょう。読者のみなさんはＧＤＰという言葉をテレビや新聞などでちらっと見たり聞いたりしたことがあるでしょう。ＧＤＰとは国内でつくり出される付加価値の総計のことです。

企業でたとえるなら、簡単にいって、総売上高から原材料や部品など、他企業から買い付けた金額の合計を差し引いた額が、付加価値です。これを日本国中でトータルしたのがＧＤＰとなります。詳しいことを知りたい人は、拙著『入門マクロ経済学』（日本評論社）を参照してください。

たとえば、自動車をつくっているある会社の売上高が１兆円で、鉄やタイヤ、ヘッドランプなどの原材料や部品を合計して6000億円購入したとします。この会社の付加価値（この会社が新たにつくり出した追加的な価値）は、差し引き4000億円ということになります。このように計算された付加価値を、国中のすべての経済主体について足し合わせると、１国のＧＤＰが得られます。ちなみに、現在の日本のＧＤＰは約500兆円です。日本人が１年間に稼ぐ所得の合計が500兆円だと考えてけっこうです（その理由は以下を読めばすぐにわかります）。

さて、自動車会社の例に戻りましょう。4000億円の付加価値をつくり出したこの自動車会社は、このお金をどう処分するでしょうか。その答えは、付加価値をつくり出すのに貢献した生産要素（労働、資本、土地など）に応分に分配されるということです（第７章参照）。

なぜかというと、4000億円の付加価値をつくり出すためには、この会社は多数の従業員を雇っているはずです。また、工場を建てるために銀行から借金をしていることでしょう。あるいは、工場や本社ビルは土地を借りて建てたのかもしれません。あるいは、政府からは道路や飛行場など、有形無形のさまざまな公共サービスを提供してもらっています。また、株式会社であれば、株主から資本を集めているはずです。

従って、会社は付加価値をつくり出すのに貢献したこれらの生産要素に対して世間並みの支払いをしなければなりません。もし、世間並みの支払いを拒否すれば、この会社には生産要素である労働や資本が集まってこなくなるためです。そうなると、会社は経営できず、ましてや付加価値を生み出すこともできなくなります。

会社は付加価値の4000億円のなかから、従業員に少なくとも世間並みの給料を支払う必要があります。借金の利息や借地に対する地代も支払わなければなりません。これらの経費を差し引くと、それが会社の利益ということになります（従って、付加価値は利益よりも包括的な概念であることがわかります）。

利益に対しては、まず法人税が課せられます。大企業の場合、利益の40〜50%の税金が取られます。法人税を納めた残りが「税引後利益」ですが、これは株主に対する配当、会社役員に対する報酬、さらにどこにも配分しないで会社内にとどめておいて来期以降の設備投資などのために使う法人留保などに分けられます。

以上を総括《そうかつ》すれば、生み出された付加価値は必ず「誰か」に分配されるということがわかります。もっとも、ここで「誰か」というのは、政府や会社自身（法人）も含まれます。以上をまとめておきますと、

付加価値＝生産要素への支払い＝賃金＋利子＋地代＋税金＋役員報酬＋配当金＋法人留保など

ということになります。

3面等価の法則

　つまり、ＧＤＰという生産された所得は必ず「誰か」の所得になるということです。これを分配所得といいます。このようにして分配された所得がどうなるか、つまりどう処分されるかを次に考えてみてください。

　もし読者がサラリーマンで会社から給料を受け取ったとします。そのお金はどう使いますか。答えは大変簡単です。「稼いだ所得は、消費のために使ってしまうか、それとも一部は使わないで貯蓄するか、あるいは、所得税や消費税として政府に税金として納めるか」、このどれかに分かれるはずです。どこかに寄付をするという殊勝《しゆしよう》な人もいるでしょう。寄付を受け取った人は、やっぱり、消費するか、貯蓄するか、あるいは税金を納めるかするはずですね。つまり、寄付金も結局は「消費されるか、貯蓄されるか、税金支払いに回るか」のいずれかになります。

　このことは、ほかの形で所得を得た場合もまったく同じです。たとえば、株主が配当金を受け取ったとしても、彼はその受け取った所得を消費、貯蓄、税金のいずれかの形で処分することになります。会社が利益の残余部分を法人留保として会社内にとどめた場合、これはすべて当該《とうがい》年度の（法人）

貯蓄となります。

以上を整理すると、分配された所得（分配所得）は、消費、貯蓄、租税《そぜい》のいずれかに処分されるということです。すなわち、

(a) 生産面から見たＧＤＰ＝分配面から見たＧＤＰ（分配所得）＝消費＋貯蓄＋租税

さらに、財・サービスを購入する需要側（支出面）からＧＤＰを眺めてみると、一般家庭では、消費や住宅への投資が主たる支出項目です。企業から見ると、消費もしますが、重要な支出項目は「投資」です。工場、コンピュータ、機械などの設備のための投資は「設備投資」、品切れにならないように一定量の在庫品をもっておくための「在庫投資」がありますね。政府は何をするかというと、公共事業をしたり、消防や警察、自衛隊などさまざまな公共財を供給するために「政府支出」をします。財源は、国民から集めた税金や、それでも足りない場合は国債を発行します。

家計、企業、政府という国民経済を担う３大アクターがそろいましたが、もうひとつ、重要なアクターがいます。それは海外の顧客です。

海外のお客に対しては、財やサービスを輸出したり、逆に輸入したりします。その差額が「貿易サービス収支の黒字」です（輸入のほうが輸出より多い場合は貿易サービス収支の値はマイナス、すなわち赤字になる）。つまり、貿易サービス収支は海外からのネットの需要（輸出などから輸入などを差し引いた数値）だということになります。

これで買い手は勢ぞろいしました。すなわち、家計（消費＋住宅投資）、企業（設備投資＋在庫投資）、政府（政府支

出)、それから海外の顧客（貿易サービス収支）です。住宅投資、設備投資、在庫投資をまとめて「投資」とよぶことにすると、支出面から見たＧＤＰの内容は次のようになります。

（b）支出面から見たＧＤＰ＝消費＋投資＋政府支出＋貿易サービス収支の黒字

総務省が出しているＧＤＰの統計では、生産面から見たＧＤＰ、分配面から見たＧＤＰ、支出面から見たＧＤＰはすべて等しくなっています（なぜそうなるかを詳しく説明する余裕はここではありません。興味のある人は、拙著『入門マクロ経済学』、第２章を参照)。これを「３面等価」の法則とよんでいます。

内需不足が貿易黒字を拡大する

３面等価の法則が成立するとき、次の式が成り立ちます。いいですか。前に求めた（a）と（b）をようく見比べてください。次の（c）が得られます。

（c）消費＋貯蓄＋租税＝消費＋投資＋政府支出＋貿易サービス収支の黒字

両辺をよく見ると、消費は共通です。ですから、両辺から消して考えてもいいですね。そして、投資や政府支出の項目を左辺に移動させますと、次のきわめて重要な式が得られます。この式の意味を正しく理解することができれば、読者は晴れてエコノミストの仲間入りができます。それほど、この式は重要です。

（c′）（貯蓄－投資）－（政府支出－租税）＝貿易サービス収支の黒字

あるいは、（貯蓄－投資）を民間貯蓄超過、（政府支出－租税）を財政赤字（これが負の場合は財政黒字です）とよび直しますと、

（c″）民間貯蓄超過－財政赤字＝貿易サービス収支の黒字

ということになりますね。

つまり、貿易サービス収支の黒字があるということは、貯蓄に比べて投資が少なすぎる（民間貯蓄超過が大きい）ということ（もっと正確に言えば、民間貯蓄超過に比べて財政赤字が少ない）に原因があるということをこの式は示しているわけです。

日本の現状は、経済が長期不況にあえいでいるため、人々は将来のことを心配してあまり消費せず、その結果、貯蓄が増えています。他方、企業は不景気のため設備投資をする意欲がなく、投資が全体的に低迷しています。このため、民間の貯蓄超過はどんどんふくらんでいる状態です。財政のほうは政府の景気対策しだいで大きく変化していますが、最近では財政赤字が膨張《ぼうちょう》する傾向にあり、そのために民間貯蓄超過が大きいにもかかわらず、日本の貿易サービス収支は急速に減少しはじめています。

21世紀初頭の日本経済の状況では、民間貯蓄超過が約35兆円、財政赤字が約30兆円、貿易サービス収支の黒字が約５兆

円というところです。

世界一の経済大国であるアメリカは、日本と好対照をなす国だと言えます。すなわち、民間貯蓄超過はマイナス、財政収支は黒字、したがって貿易サービス収支は大幅な「赤字」です。

これは、アメリカでは貯蓄率が日本に比べて異常に低く（０～４％）、他方、投資はかなり活発であるため、民間貯蓄超過はマイナス（投資のほうが貯蓄よりもかなり多い）であることにおもな原因があります。その分、貿易サービス収支は常に巨大な赤字を記録しているのです。

以上の説明はちょっとむずかしかったかもしれません。もし「ついていけないや」と感じた人がいたら、次のように考えてください。「生産されたものが売れ残ったとしたら、あとは政府に（公共事業などの形で）買ってもらうか、外国のお客さんに買ってもらうしかない」。不況になると、政府が景気対策と称して、公共事業を増やしたり減税するのは、売れ残りを買い取るためと考えればよいのです。それでも残ってしまうものは外国に輸出してしまおうとなるわけです。「内需（民間の需要＋政府の需要）が不足すれば、貿易黒字が増える（外国に買ってもらう分が増える）」というわけです。

他方、アメリカ経済の場合、国内で生産されたものだけでは不足するので、外国から大量に商品を買わなければならないため、貿易赤字が大きいと考えればよいことになります。

市場の閉鎖性と
貿易黒字の大きさ

以上の説明で、貿易の不均衡がなぜ発生するか、およそわかったでしょう。この仕組みを知っていれば、経済音痴の政治家より経済がわかっていると自負できるのではないでしょうか。公共投資を増やすなど、内需を拡大すれば、消費や投資が増え、貯蓄が減る（国内貯蓄超過が減少する）だけでなく、政府支出が増えたり、減税で租税収入が減ったりするために、財政赤字が増えますから、前々ページに出てきた（c′）式や（c″）式の左辺が減少し、その結果、右辺の貿易サービス収支も減ることになります。

昔は、アメリカは「日本の市場が閉鎖的だから貿易黒字が増える」という言い方をして、日本の市場開放を要求してきたものです。市場が閉鎖的なら輸入が阻害《そがい》されるので貿易収支が黒字になるひとつの要因であることは確かです。

しかし、それならば、なぜ年によって貿易黒字の額が急速に変化するのか、説明できるでしょうか。最近になって貿易サービス収支の黒字が大幅に縮小しはじめたのは、日本の市場が急に開放されたためでしょうか。

そんなことはとうてい考えられません。日本の商慣行がアメリカに比べて閉鎖的であるため、日本市場へ入ることがむずかしいという指摘はおそらく当たっていると思いますが、日本の市場の閉鎖的な性格が毎年大きく変わるということはありえません。おそらく、市場の閉鎖性や独特の商習慣といった要因よりも、先に詳しく述べた貯蓄超過や財政赤字といったマクロ経済要因のほうが貿易不均衡（の変化）を説明するうえではるかに重要なのです。

貿易黒字の日本が
なぜ不況なのか？

もうひとつ、貿易黒字に関連してしばしば出される疑問は、日本のように貿易黒字で外貨を稼いでいる国がこんなに不況であるのは不思議だ、おかしいではないかというものです。

逆に、アメリカは非常に大きな貿易赤字の国ですが、そのアメリカは日本よりも好況なのはなぜなのか？

貿易黒字の国・日本は貿易で大量のドルを稼ぎ、ドル建ての資産（アメリカ政府の発行する国債や外国の土地など）をどんどん蓄積している一方、アメリカは貿易赤字つづきで外国に借金が１兆ドルも累積《るいせき》しているのです。それなのに、アメリカは好況にわき、日本は大変な不況に陥っている。何か不思議ですね。

しかし、じつは、不思議でも何でもないのです。先の説明で明らかになったように、「不況だから貿易黒字が大きい」のであって、貿易黒字が大きいから豊かになるわけではないのです。貿易黒字が大きくなるのは、国内で生産したものを国内で消費したり、投資していないためです。つまり、国内の供給が国内の需要を上回っているので、その残りの部分を輸出しているため、貿易黒字が増えるわけです。もし、生産した分だけ、国内で消費しきってしまえば、貿易黒字は発生しません。アメリカのように、国内で生産したものだけでは足りなくて、外国でつくられたものを輸入して不足分を補う生活をしていると、貿易赤字が発生します。

貿易でドルを稼いだ企業はたしかに潤《うるお》うかもしれません。しかし、もしこの企業が輸出によってドルを稼ぐのではなく、国内でどんどん販売を増やせたとしたらどうでしょうか。輸出していた分だけ、国内で販売が増やせたら、この企業にとっては売り上げに変化はありません。ですから、別に、外貨をたくさん稼げるから利益が上がるとは限らず、その分国内景気がよくて、国内販売の利益が伸びれば、輸出がその分減っても、企業にとっては何ら問題はないということになります。

どうです？　貿易黒字と景気の関係について、少しはわかったでしょうか？　自信のない人はもう一度読み返してみてください。きっと完璧にわかるはずです。そして、このことがわかったら、読者のみなさんは立派なエコノミストの卵です。

円高・円安の話

しかし、もう少し話のつづきがあります。貿易サービス収支の黒字は国内景気が悪いときに増え、景気がよいときには減少するということを見てきましたが、じつは、貿易サービス収支の大きさは国内景気のみに左右されるわけではありません。そう、賢明な読者はすでに気がついているはずです。それは為替《かわせ》レート（および為替レートとともに変化する日本企業の国際競争力）との関係です。

１ドル100円の為替レートが１ドル140円になったとすると、これは円安です。これまで100円持っていけば、ニューヨークで１ドルのものが買えたのに、円安になって、円の価値が下がると、今度は140円持っていかないと同じ１ドルの品物を買うことができなくなります。逆に、１ドル100円の為替レートが80円になったら、円高です。円の価値がそれだけ上がったのです。

どうですか？　円高のほうがいいでしょう？　なぜなら、

円高のほうが国際的な購買力（ものを買う力）が増大し、リッチになれるからです。しかし、1995年に円高が進行し、1ドル80円になったとき、日本銀行は懸命に円高の進行を阻《はば》もうとしました。日本銀行が為替市場で猛烈な勢いで円を売り、ドルを買ったのです。当時の新聞も「これ以上の円高は困る」と書き立てました。

円高によって困るのは誰でしょうか。それは自動車やエレクトロニクス、機械などをつくっている輸出メーカーです。今まで100円で輸出していたものは、アメリカでは１ドルで売れました。しかし、１ドル80円になると、100円で輸出しつづけた場合、アメリカでは1.25ドル（100÷80）と25％も値上がりしてしまいます。値上がりすれば当然商品は売れなくなりますから、輸出業者は困るというわけです。しかし、海外へ旅行する一般の人たちや輸入業者は大喜びのはずです。今まで、100円だった外国の製品が80円になるわけですから……。

国際資本の暴力？

しかし、それにしてもなぜ、為替レートは毎日のように激しく動くのでしょうか？

これはなかなかむずかしい問題です。為替レートは理想的には、各国の経済力を反映して決まることが望ましいのです。また、各国の貿易サービス収支がほぼ均衡するように為替レートが自動的に調節されるなら、貿易不均衡の問題に各国が悩まされることもありません。しかし実際には、為替レートは貿易不均衡とは無関係にきわめて気まぐれな動きをしているように見えます。

それでは何によって為替レートは決まっているのでしょうか。ひとことでいえば、それは世界中の投資家が「円を買うと儲かると思えば円高、円を売れば儲かると思えば円安」になるとしか言いようがありません。もう少しエコノミストふうにいえば、ドルや円といった各国通貨に対する需要と供給の関係で決まる、あるいは、為替レートは国境を越えて動く国際資本の動き方で決まるといってもよいでしょう。

国際資本がある方向に急激に動けば、為替レートは暴落したり、急騰《きゅうとう》したりします。しかし、国際資本がいつどちらの方向に動くのかは予測できません。このため、輸出業者や輸入業者のみならず、国際的なビジネスにかかわるすべての人たちにとって国際資本の動向は大変大きな関心事です。

それどころか、1997年夏から始まったアジア諸国の為替や株式の暴落は、国際資本がいっせいにアジア通貨やアジアの株を売り出したことに端を発しました。なぜ、国際資本がアジア通貨やアジアの株を大量に売り浴びせたのでしょうか？ タイなどでは、日本と同じようなバブルが発生していて、これが崩壊したのがきっかけになりました。それが引き金になり、他のアジア諸国も危ないのではないかという連想が働いたため、アジア通貨や株が一斉に売られたのです。その結果、たとえば、インドネシアの通貨であるルピアなどは通貨価値が6分の1にまで暴落しました。そうなると、輸入物価も6倍ということになりますから、物価が急速に上がります。このため、インドネシアでは暴動が起こり、ついに1998年5月21日、30年もつづいたスハルト大統領の独裁体制が崩壊しました。そのほか、マレーシアや韓国でも、通貨や株価が暴落し、国内政治、経済は大混乱の様相を呈しています。

このように、国際資本の国境を越える動きは、最近では、一国の政治経済体制を覆《くつがえ》すほどの力をもつにいたりました。このため、マレーシアのマハティール首相などは、国際資本の暴挙に対して何らかの規制をかけるべきだと強く主張しています。

日本はどうでしょうか？　日本経済は依然として長期不況にあえいでおり、また不良債権問題などの金融不安があります。国際的な投資家（投機家？）が日本政府の政策しだいによってはいつ本格的な「日本売り」を仕掛けてくるか、予断を許さない状況にあります。もちろん、日本の経済力はインドネシアなどのアジア諸国に比べてはるかに強力ですし、貿易黒字も減りつつあるとはいえ、まだしばらくは黒字がつづくと思われます。ですから、日本をインドネシアと同列に論じることはできません。

しかし、国際資本はそれにもまして強力です。もし彼らが本気で「日本売り」を仕掛けてくれば、円安はとどまるところを知らずに進行し、株も暴落することになります。株が暴落すると、日本の金融システムは急激に不安定化することはまちがいありません。なぜなら、日本の銀行は株式を大量に保有しており、株価の急落によって財務内容が急速に悪化する情勢にあるからです。このように考えると、日本は今、瀬《せ》戸《と》際《ぎわ》に立たされているとも言えます。必要な構造改革と不良債権問題の解決を急がなくてはなりません。

このような情勢ですから、私たちは、グローバルエコノミーの進展が私たちの生活にどのような影響を与えるのかについて、いっときも目を離すことが許されない情勢になってきました。それが21世紀経済の宿命なのかもしれません。

「デフレ」に悩む
日本経済

21世紀に入っても、日本経済は不況から脱出できない状態がつづいています。失業率も5.4％（2001年10月）と、統計をとりはじめて以来、最高を記録していますし、企業倒産も増えつづけています。たびかさなる景気対策で財政赤字が拡大し、国債発行残高も2001年度で666兆円（地方債も含む）もの巨額に上っており、不況だからといって、そう簡単に大がかりな景気対策は打てない情勢にあります。

2001年４月に小泉内閣が「構造改革なくして景気回復なし」というスローガンを掲《かか》げて、国民の圧倒的支持を得たことは記憶に新しいところですが、他方、日本経済は深刻なデフレの進行に直面しています。

「デフレ」とは、物価が下落する状況のなかで景気がさらに悪くなる経済状態を指します。

デフレになると誰が困るかというと、一般的には「借金をしている人」です。逆にインフレになると、借金をしている人は楽になります。マクロ経済のなかでは、企業は通常かなりの借金を背負っています。企業は銀行などから借金をして、投資をするためです。

物価が下がってくると、なぜ「実質的な」借金が増えるのでしょうか？

例として、100万円の借金をしている企業があったとしましょう。物価が10％下がるとすると、平均的にはこの企業が売る商品も10％下がりますね。そうなると、この企業の収入もそれに応じて減るため、借金の返済はそれだけ苦しくなります。逆に物価が10％上がると、借金は100万円のままなのに、商品価格が10％上がるため、企業の売り上げが増加し、借金返済は容易になるでしょう。

それ以上に企業が困るのは、デフレで商品価格が下がっても、従業員に賃金を急に下げたりすることは通常それほど簡単ではない、つまり、売り上げが落ちたからといって人件費などのコストは急には下げられないという点にあります。こうなると利益は急激に落ちてきて、企業経営はどんどん苦しくなり、それが経済の低迷をもたらすのです。

歴史的に見ても、物価が下落する経済で景気がよかったということはほとんどありません。そういう意味ではなんとか日本が一刻も早く、デフレ状況から脱却することが必要なのですが、財政赤字をこれ以上大きくすることは避けたいところですし、金融政策もゼロ金利がつづくなどギリギリのところまで発動されており、手の打ちようがないところまで追い込まれているのです。

それでも国債発行（財政赤字）を増やすべきだというエコノミストや政治家が大勢いますが、不要不急の道路をたくさんつくるような放漫な財政政策では日本の将来展望が開けてこないことは明らかです。社会の構造を効率的にするための構造改革を断行することが不可欠の情勢です。しかし、それがデフレを加速するようなことがあっては元の木阿弥《もくあみ》です。

今の日本経済は、「構造改革か」「景気対策か」といった単純な政策論議ではなく、双方に目配りができる新たな政策論が求められていると思います。

第12章

さらば
日本株式会社。

バブルが音を立てて弾け、
未曾有《みぞう》の不況に見舞われた「日本株式会社」。
ほころびはあちこちに出ています。
金融業界も政府もまるで手をこまねいているよう。
でも、読者のみなさんはもう知っていますね、
マーケットの力を……。

低迷をつづける
日本経済

戦後の廃墟《はいきょ》から勇ましく立ち上がった日本人はついに奇跡をもたらしました。1980年代なかばまでに日本人のひとり当たりの所得はアメリカ人のそれを抜き去り、先進国のなかでもトップの座に就《つ》きました。「日本の経済システムはすばらしい」「日本的経営に世界は学ぶべきだ」という声が世界のあちこちでささやかれていました。

しかし、「おごる平家は久しからず」のことわざどおり、日本経済は1980年代後半のバブル発生、そして、1990年から91年にかけてのバブル崩壊、その後の大量の不良債権の発生、著しい景気低迷と失業者の急増、そして、デフレの進行に見舞われました。なぜこんなことになってしまったのか。また、そのような状態から立ち直るには、何が必要なのかについて概観《がいかん》してみましょう（これらの点について、もっと詳しく知りたい人は、たとえば、拙著『日本経済の歴史的転換』東洋経済新報社・1996年、『日本経済「混沌」からの出発』日本経済新聞社・1998年、『にっぽんリセット』集英社インターナショナル・2001年などをぜひ読んでいただきたいと思います）。

(1)なぜバブルが発生したのか

バブルとは泡《あわ》だとか風船の意味だと知っているでしょう？株や土地の値段が実力以上に、常識では考えられないくらいに上がってしまい、放っておくうちにふくらみすぎて、やがて破裂してしまうのをバブル経済とその崩壊とよびます。これもマーケットの失敗のひとつです。

バブルとインフレはどうちがうか、という点について、まず説明しておきましょう。バブルは先に述べたように、株や土地という「資産」の価格がどんどん上がっていく現象ですが、インフレは、普通の商品（野菜や衣類など）の値段が継続的に上がっていく現象です。このちがいをまず、しっかりと頭に入れておいてください。

なぜバブルは発生するのか。これはなかなかむずかしい質問です。株や土地をもっている人は誰でも値上がりを待っています。しかし、普通は株価も地価も需要と供給が交わるところで正常に値付けされています。しかし、何かの拍子に、株価や地価が上昇を始めると、人々はやがて将来もずーっと値段が上がりつづけるのではないかと考えるようになります。

多くの人々が株価や地価が必ず上がると考えるようになると、誰も株や土地を売りに出さなくなりますから、ますます供給不足になり、値段が上昇します。そうなると、いよいよ人々の値上がり期待が強くなり、マーケットでは供給が細り、需要だけが燃え盛ることになります。こうして、気がついてみると常識ではとうてい考えられないような値段がついてしまうのです。このように、きっかけがどのようなものであれ、株や土地のような資産の価格が異常に上昇する状態をバブルとよんでいます。次にバブルのひとつの代表的な例を見ましょう。

〈南海泡沫《ほうまつ》会社事件〉

近代の資本主義経済では、バブルはどうやら避けられない宿命のようです。これまでにも、17世紀のオランダでのチューリップ球根をめぐるバブル騒動、1920年代から30年代にかけての世界大恐慌を含め、世界では何度か大きなバブルが発生し、崩壊しました。ここでは、南海泡沫会社事件（South

Sea 'Bubble' Company Case）として知られているケースを取り上げてみましょう。

18世紀の初め、イギリス政府は「南海会社（South Sea Company)」なる会社を設立し、会社に南米および南太平洋の貿易の独占権を与えました。さて、株式の発行という段になると、独占権から巨額の利益が出るのではないかという期待が高まり、一気に過熱しました。その後も投機筋はその会社に限らず、「南海」という名がつけられたすべての会社に資金を惜しみなく投入したのです。会社の実態からかけ離れた株の高騰が起きました。まさしくバブルの発生です。

ちょうどそのころ、かのニュートンが居合わせたのです。現代物理科学の教祖たるアイザック・ニュートンはすべての研究成果を発表し終え、英国王立協会の会長として学界の頂点にいたのです。その耳に「南海会社」の騒動が届きました。周りの有識者もそわそわしています。一般市民は投機に走っています。気の短い人は、もうすでに株を購入しています。ニュートンは「合理的に考えて、これはおかしい。さしたる根拠もない会社の株がこんなに値上がりするのは解《げ》せない」と考え、投機には参加しませんでした。

しかし……。バブルの怖いところは、ニュートンほどの合理的で冷静な考えの持ち主ですら結局は引きずり込んでしまう力があるということです。友人や親類がどんどん上がる株式で大儲けをするのを見て、ついに出来心がうごめいたのでしょう。少したって、彼は突然に株を買ったのです。その直後、バブルは崩壊してしまいました。もちろん、彼は大損。ババを引き当てたも同然のありさまだったといいます。

ニュートンほどの人物でさえバブルに乗ってしまったということは、「バブルはいったん燃え盛りはじめたら誰にも止められない」という貴重な教訓を残してくれました。そして、そのような歴史的教訓どおり、1987年に始まった日本のバブルもやっぱり止められなかったのです。

＊　＊　＊

ことの発端は1985年９月22日の「プラザ合意」であったと思われます。ドル高で巨大な貿易赤字を出していたアメリカは円やマルクに対してドルを一気に安くしようと、「Ｇ５」（アメリカ、イギリス、フランス、西ドイツ、日本の先進５カ国蔵相・中央銀行総裁会議。今はイタリアとカナダが加わったため７カ国のＧ７、さらにロシアを加えてＧ８となっている）を開き、そこで「ドル安／円・マルク高」を進めるための政策協力をすることを取り決めたのです。これを「プラザ合意」といい、その直後、日本円はそれまでの１ドル＝240円台から一気に120円台という超円高時代に突入しました。「超円高で日本の輸出産業は壊滅《かいめつ》状態になり、大不況になる」と恐れた日銀は金融緩和に踏み切りました。1987年２月に公定歩合を当時としては異常に低い過去最低の2.5％にしたのです（現在はそれよりもっと低い0.1％）。

公定歩合が下がると、全体に金利が下がるので、企業はどんどんお金を借りようとします。その結果、マネーサプライが急激に伸びはじめ、いわゆるカネ余り現象が出てきます。他方、円高でアジアからは安い輸入品が大量に入ってきていたため、物価自体は安定したままでした。つまり、マネーサプライが増えたのにインフレは発生しなかったのです。そこで人々は、余ったカネを株や土地の投機に回しはじめたのです。普通の商品の値段が上昇しはじめれば、日銀は「物価の番人」ですから、金融引き締めに転じたでしょうが、物価が安定していたので状況判断を誤ったのです。

さらに、急激な円高にもかかわらず、輸出はまもなく回復してきます。日本企業の底力です。国際的な競争力をもった新しい製品、たとえばウォークマンのような世界中の若者が飛びつくような製品も次々に出たため、景気も回復しつつありました。同時に、土地や株がぐんぐんと値上がりを始めていました。

1987年の秋、日銀はそろそろ金融を引き締めようと考えていたと言います。しかし、不測の事態が起きたのです。震源地はまたもやアメリカでした。10月19日の月曜、ニューヨーク証券取引所で株価暴落。

その日１日だけで、アメリカ企業全体の株式の価値は５兆ドル、25％が瞬時に失われたのです。コロンビア大学のスティーグリッツ教授は、「いかなる大戦争でも、アメリカの総資産を１日で４分の１失わせることは不可能だろう」と感想を述べています。その日は「ブラックマンデー」と記憶されます。

ただでさえドルは弱含み。そこへもってきて大暴落。アメリカは日本に対し、金融緩和の維持（低金利政策の持続）を強く求めてきました。日本が金利を上げると、高い金利を求める国際資本がますますアメリカから日本に流れ、ドルやニューヨーク株価がさらに暴落する危険があったからです。政府は日本の景気が回復してきたことから、本来ならば金利を引き上げるべきところを、アメリカとの国際協調の必要から、低金利政策をつづけるよう、日銀に指示したのです。

日銀は結局、低金利政策をそれ以降１年半の長きにわたって1989年５月までつづけてしまいました。これでお金がちまたにあふれ、バブルはいよいよ燃え盛ることになってしまったのでした。銀行は担保なしでもどんどんお金を貸そうとしましたし、実際、株や土地を買った人は値上がり益を次々に手に入れることができたのです。もうこうなると手がつけられません。あとは、バブルが崩壊するのを待つだけとなったのです。

1989年12月末の東京証券取引所の大納会（その年最後の取引）で、日経平均株価は３万9000円をつけて引けました。これはプラザ合意のころに比べて2.5倍以上でしたし、地価にいたっては、東京23区内の狭い土地の評価総額がアメリカ全土の土地の評価総額を上回る（東京23区の土地を売った代金で、アメリカ全土が買える！）という信じられないほどの高値がついてしまったのです。

⑵なぜバブルが崩壊したのか

さて、それではなぜバブルは崩壊したのでしょうか？

この問題に答えることは、「なぜバブルが発生したのか」という問いに比べるとはるかに簡単です。風船や泡はある程度以上になると必ず破裂しますね。それと同じです。実力をはるかに超えて、株や土地の価格が上がっている状況に対して、やがて人々は「ちょっと危ないな」と思いはじめます。従って、何かきっかけを与えてやれば、人々はすぐにでも買い手から売り手に変身したでしょう。

きっかけは、大蔵省のいわゆる「貸出総量規制」でした。すなわち、不動産関係の融資《ゆうし》を量的に拡大することを銀行に対して禁止したのです。もちろん、日本銀行は公定歩合を急激に引き上げ、マネーサプライの伸び率を抑制しました。これではさらに土地を買いたくても、融資を受けられないし、融資を受けられても金利が上がってしまっています。

1990年８月、イラクによるクウェート侵攻があり、中東の石油に頼っている日本経済が窮地に陥るのではないかという懸念《けねん》から株が暴落しました。また、地価も1992年ごろから急速に沈静化に向かいました。

こうなると、買えば必ず儲かるという「神話」は跡形もなく消え、みんなが売り手に回ろうとしたため、株価や地価はどんどん下落しました。株価は2001年にはついに１万円を割ってしまいました。また、地価も大幅に下落しました。

⑶不良債権と金融不安

バブル崩壊は大変深刻な後遺症を日本経済に残す結果となりました。その最たるものが銀行の不良債権です。バブルのたけなわに銀行からお金を借りまくり、株や土地を買いあさった不動産会社やゼネコンはバブル崩壊で借金を返せなくなりました。銀行側から見るとこれが不良債権となったわけです。バブルが崩壊して以降、不良債権を償却《しょうきゃく》する（貸したお金が返ってこないものとして、会計処理をする）ため、銀行が使ったお金は2001年までで70兆円に達すると言われています。

不良債権を処理できなくなった北海道拓殖銀行が1997年11月に倒産しました。また、四大証券会社のひとつである山一證券も廃業に追い込まれてしまいました。さらに、1998年10月には日本長期信用銀行、12月には日本債券信用銀行が国有化されるにいたりました。

このように、バブルが崩壊してから10年以上経過しましたが、残念ながら不良債権の総額はいっこうに減らず、むしろ償却しても償却しても増えつづけているという状況です。なぜ不良債権が増えつづけるのかというと、資産デフレ（株や土地の価格が下落すること）が依然進行しているからです。高値で買った不動産や株価が下落すると、借金をしてこれらの資産を購入した人たちが返済不能になり、不良債権がさらに増えてしまいます。だからこそ、これまで70兆円も償却したにもかかわらず、不良債権は減らず、銀行の財務状態をいっそう悪くしているわけです。

経済の潤滑油として重要な役割を果たしてきた金融システムが変調をきたしはじめたのです。問題なのは、なぜ今日にいたるまで、不良債権問題が解決されなかったのかということです。政府や金融機関の経営者、政治家はこの問題の解決を先送りした責任を問われるべきだと思います。彼らの論理は、「しばらくがまんしていれば、そのうち日本経済が本格回復するだろう。そうなると地価や株価も上昇するようになるはずだ。そうなれば不良債権も自然と消えていくはずだ」というものでした。

しかし、読者はこの理屈がまちがっていることに気がつきましたか？　なぜまちがっているかというと、じつは「不良債権問題が解決しない限り、資産デフレが収まらない」という事実をこの人たちは忘れているからです。不良債権を持っている金融機関や一般企業は、少しでも株価が上がったり、地価が上がると手持ちの資産を売却して、「売却益」を出し、不良債権処理のための財源にしようと考えています。ですから、仮に株や土地が上がりはじめても、あっという間に巨大な売り圧力の前に再び値を下げてしまうことになります。

つまり、「株価や地価が上がれば不良債権処理ができる」のではなく、「不良債権処理が終わってしまわない限り、株価や地価は決して上昇しない」と考えなければならないということなのです。だから、なによりもまず不良債権処理を公的資金を使ってでも終えてしまうことが重要なのです。この論理が十分に理解されていないことが日本の金融不安を増幅してしまっているのです。大変残念なことです。

有効でなくなった日本型システム

1997年の暮れ、ＴＶのニュースに大きく映し出された山一證券野沢正平社長のクシャクシャの泣き顔に、私たちはとても驚きました。彼は「倒産した原因はすべて社長である私にあり、社員の責任ではない」と号泣したのです。このシーンを見ながら、なにかしらシラケ感とともに強い違和感にとらわれたのは、私たちばかりではありませんでした。アメリカの「ワシントンポスト」紙は、その模様を皮肉っぽくコメントしました。

「社長が泣いたのは、日本株式会社それ自体のためだったのかもしれない」。そのトーンは、当の社長ばかりでなく、不況に苦しむ日本の企業社会全体に葬送曲のように響いたにちがいありません。

経済先進国の仲間入りを果たした日本を評し、国の内外いずこからともなく「日本株式会社」という言葉が使われはじめたのはいつごろからだったでしょうか。

それは日本全体があたかもひとつの目的（成長）を目指してチームワークよろしく猛烈にがんばる株式会社のようだというわけで、日本人のチームワークを重んじる性向をよい意味で代弁していたと同時に、「政・官・業」一体となった癒《ゆ》着《ちやく》システムは、あくまで日本独特のものであって世界には通用しませんよ、という負の意味でも使われた言葉でした。

本来、マーケットエコノミーに基づいて動いている国では、最も大切なのはマーケットの参加者、すなわち消費者や投資家への情報開示（ディスクロージャー）です。ところが、「日本株式会社」の中では、情報は官庁と業界の中に閉じこめられ、まずい情報は一般の人には知らされないということが常態化していました。これはマーケットが最も嫌う体質です。マーケットは経済活動における民主主義を体現したものであって、情報が十分に開示されないところでは決して機能しないからです。

株主不在の日本企業

　毎年6月の第4金曜日に、日本の大企業がいっせいに開く株主総会ほど外国報道機関から好奇の目を集めるものはないでしょう。しかもほぼ同じ時刻に始まるとあっては、仮に誰かが複数の会社の株主であったら、1社以外は出られるわけがありません。株主総会の意義は、もともとは、株主から経営を任されている経営者が、株主総会の場を借りて、経営内容についてくわしく説明し、了解を求めるということにあります。

　株主は、会社のオーナー（所有者）なのです。経営者は会社の経営を任されているにすぎません。だから、少なくとも年に一度は株主総会を開いて、株主に対して経営内容・計画を正直に、詳細に説明しなくてはいけないのです。また常に経営に関する情報を株主にオープンにしておかなくてはならない。つまり、ディスクロージャー。これは株式会社制度における世界の常識です。しかし、日本では情報が株主に十分に知らされないことが多いのです。これは国際的にみると大変な非常識です。

　第2次世界大戦後、連合国軍は日本の財閥《ざいばつ》を解体したのですが、銀行は古い体制のまま残されました。財閥が所有していた株をマーケット一般に広く放出したかったのですが、一般庶民にはもとより財力がなく、仕方なく代わって銀行に払い下げざるを得なかったのです。その結果、旧財閥系の銀行がそういった企業の筆頭株主《ひっとうかぶぬし》になったばかりか、旧財閥系の各企業が再びそのもとに集まりました。これが「系列」となりました。この流れは日本独自のもので、今日にいたるまで太い流れとなっています。

さらに、これまた日本型システムの典型ですが、系列下の企業同士が相手の株主となる、すなわち株の持ち合いを制度化していますが、これもまた、もたれ合いの要因です。こういった企業間の株式持ち合いのもとでは、たとえば、A社の筆頭株主はB社、B社の筆頭株主はA社という具合になるため、A社とB社がお互いに相手企業の経営方針を認め合うならば、一般株主の利益が損なわれてもそれをチェックする仕組みがなくなってしまいます。

会社の方針に対して一般株主が反論しても、大株主である持ち合い企業が賛成すれば、賛成多数ということで承認されてしまうからです。マーケットの失敗ならぬマーケット（株主）無視が堂々とまかり通るという構図がここには見てとれるわけです。

そこに闇《やみ》の総会屋が入り込むすきが生じます。1998年に発覚した金融界の相次ぐ不祥事の発端《ほったん》は、銀行が株主総会をいわゆるシャンシャン大会にするため、本来は株主に利益を与えなくてはいけない分を、総会屋に与えていたという事件でした。

総会屋もそれなりに大きな分け前が欲しいため、必死になって裏の情報を集めます。総会屋は「今度の株主総会は大荒れになりますよ。こんなヒドい話を聞いたものでしてね」などとスキャンダルをちらつかせます。会社側では株主総会が荒れるのを怖がって、相当の「裏金」を与えます。こんな動きが、たまたま大手の銀行や証券会社から発覚したという話です。まさに、日本型システムの構造的な深い闇だと思います。

「鉄の三角形」
(Iron Triangle)

これまで日本の経済的な発展を支えてきた日本型システムは、「政・官・業」の三者が固く結束し合ってできあがったと言われます。政界、官僚そして業者が緊密に連絡し合いながら、それぞれの産業の発展する方向を模索していたのです。その結束はきわめて強固であったため、「鉄の三角形」(Iron Triangle) とよばれるほどです。鉄の三角形は日本株式会社の重要な柱のひとつでした。

日本がアメリカやヨーロッパを追いかけている間は、この仕組みはうまく機能しました。優秀な官僚が、アメリカやヨーロッパの産業事情を調べあげ、発展段階にあった日本が次に何をすべきかということを決めました。税金をまけるとか、補助金をつけるとか、外国資本が入ってこないように規制するとか、さまざまな産業政策によって業界の発展が画策されたわけです。

時期によって、あるいは産業によって、それがうまくいった場合とそうでない場合がありましたが、とにかく、日本経済が高度成長を遂げ、人々の所得が毎年確実に上昇していた間は、誰もこのような日本のシステムに文句を言う者はいませんでした。時折、外国が日本のシステムは閉鎖的でアンフェアだなどという批判をすることもありましたが、日本がまだ経済小国である間は、世界に与える影響も大したものではなかったので、誰も声高に日本の仕組みを批判しなかったのです。

経済がうまくいっていた時期は、たとえもたれ合いだろうが、閉鎖的で秘密主義であろうが、接待が日常化していようが、マーケットの情報が十分流されない状態がつづこうが、誰も文句を言わないため、問題になることもありませんでした。むしろ、外国は日本型の政官業の協調システムは効率的かもしれないと考えた時期さえあったほどです。

しかし、右肩上がりの成長経済が終わり、所得が伸びなくなると、マーケットをもっと活用しようという動きが表面化しました。マーケットは、成熟段階に入った経済においては、次に伸びる産業が何であるのかを最も効率よく教えてくれるからです。何百万、何千万という消費者や投資家が成長する分野にお金を投じてくれます。そのような流れにうまく乗ることに成功した人たちには、大きな報酬が約束されます。

こうなってくると、官主導の規制と保護が合言葉の鉄の三角形スタイルは時代の要求にそうことはできません。官主導が有効なのは、たかだか経済がまだ発展途上の段階にあって、外国の成功例に学べる時期においてだけです。

進むべき目標が明確でなくなった成熟経済においては、官からの過剰な介入、規制はかえって人々のやる気を損ないます。従って、今や、鉄の三角形は過去の遺物となりましたが、現実の政治においては依然として強い影響力を残しており、日本経済が必要としているさまざまな構造改革や規制緩和への重大な障害となっています。

小泉内閣が国民から強い支持を受けているのは、このような鉄の三角形からくる日本社会の後進性を打破するための大胆な「構造改革」が不可欠だという強いメッセージを発信しているためです。

ガンバレ、
マーケットの子供たち！

今や、かつての日本型経済システムが多くの点で改革を必要としていることは明らかです。

まず、日本人、とくに若い読者がマーケットメカニズムというものの本質とその働きを深く理解することからスタートする必要があると思います。その上で、日本のシステムをよりマーケットに依《い》拠《きよ》したものに変えていくことが重要です。

マーケットには失敗がつきものであることについてはすでに詳しく見てきました。ですから、何でもかんでもマーケットと言うつもりはありません。しかし、これまでの日本のシステムはあまりにも官僚主導、社会主義的であり、マーケットのよいところを利用してこなかったという点については疑問の余地がありません。

マーケットを重視した経済体制をつくろうとすれば、「小さくて効率的な政府」づくりから始めなければなりません。政府はマーケットメカニズムがよりよく機能できるような制度をつくることを仕事にすべきであって、マーケットの代わりに資源配分を指図したり、「あれをやりなさい、これをやってはいけません」と民間を規制することは今や「百害あって一利なし」になりました。中央政府も、地方自治体も行政改革によってできるだけ業務を簡素化し、効率的に仕事をすることが求められています。

実際、現代日本の公的部門はあまりにも非効率的です。社会的な見返りのない大量の公共事業を発注し、国鉄債務のような膨大な借金を残し、特殊法人の経営内容にはいかがわしいところが少なくありません。国立大学制度自体も見直しが必要でしょう。

国と地方を合わせて、700兆円近い借金を抱えている日本政府。問題は、この700兆円にも達しようという借金のかなりの部分を効率の悪いところに配分してしまっているという点にあります。こういう非効率的な政府を大幅に小さくし、民間の創意工夫を生かすという考え方が必要です。

もう、これからは一流大学に入れたから一生安泰《あんたい》と考える人もいなくなるでしょう。学歴はそれなりの役割を今後も果たすでしょうが、これからは学歴よりも新しいことに挑戦する気概をもったやる気のある人こそが求められています。その意味で、人々に真のやる気を与え、努力には十分な報酬を与え、さらには、ニーズの高いところに資本や労働が効率的に配分されるよう、マーケットメカニズムをもっと有効に利用することこそ必要なのです。

そして、今や若い読者が競争する相手は、同時代の日本人だけではなく、同時代のアメリカ人であり、アジアの人たちであり、ヨーロッパの人たちなのです。その人たちが競争する場は、グローバルエコノミーのなかのグローバルマーケットなのです。グローバルマーケットのなかでは真のプロが要求されます。世界の人たちにどのような付加価値を提供できるのか、それが問われるのがグローバルマーケットです。ここで勝ち残るのは大変ですが、勝ち残ることができれば読者だってビル・ゲイツのような地球的規模の成功を収めることができるのです。

日本が根深い構造問題を何とか克服するまでは、もうしばらく時間が必要だと思われます。その後、私たちは大競争時代の一員として、グローバルエコノミーに取り囲まれている自分に気づくはずです。そのとき、日本型システムはとうになくなって、もはや日本株式会社などという単語は、歴史の教科書の片隅に追いやられていることでしょう。

本書を通じて、私が読者に伝えたかったことは、まず第1に、マーケットメカニズムの意味を十分に理解してほしいということでした。つまり、マーケットメカニズムというものが、ときとして「市場の失敗」に悩まされることがあるにもかかわらず、全体としてはすぐれたインセンティブメカニズム（人々にやる気を与える仕組み）をもつこと、そしてそれは人々のニーズに合った資源配分を達成する最も効率的な仕組みであるということでした。

日本人はこれまで十分にマーケットメカニズムを活用してこなかったこと、自ら市民革命によって自由主義を獲得した歴史的経験がないこともあって、マーケットに否定的な見解をもつ人が多いようです。何かあるとすぐに、政府にすがって助けてもらおうとしたり、自己責任を回避しようとしたりしがちです。

しかし、もう政府におんぶする時代は終わりました。最近のさまざまな汚職《おしよく》事件、接待疑惑や特殊法人における不良債務の問題などは、「政府の失敗」が想像以上に大きいということを示唆《しさ》しているのではないでしょうか。21世紀には、私たちは必要最小限以外のことについてはいたずらに政府に頼らず、自己責任の原則にのっとって、グローバルマーケットに勇気をもって船出する覚悟が必要です。

第2には、バブルや不良債権問題などの教訓をしっかりと胸に刻んで欲しいということです。21世紀の日本人が再びこのような歴史的大失敗を繰り返さないように、日本型システムのどこに問題があったのかを明確に理解するとともに、本書で述べてきた経済学の基本的考え方をしっかりと身につけて欲しいと思います。

地球環境を
守るために

本書を締めくくるにあたって、どうしても書きとめておかなければならないのは、地球環境問題にどう対処すべきかという問題です。21世紀に入ってしばらくすると、私たちはいやがおうでも地球環境の問題にどう対処していくか、その決断を迫られることになるはずです。

産業革命以降、わずか200年あまりの短い期間に、私たちは地球環境という貴重な財産を食いつぶしてきました。

日本でいえば、江戸時代までは、リサイクルがほぼ完全にできていました。当時の日本の人口は約3000万人でしたが、この人たちの生活は環境を常に復元できるエコシステムのなかで営まれていました。山で薪《まき》をとったり、家を建てるために木を切っても、自然が森を復元するのに十分な余裕があったわけです。人間の生活は、地球環境という貴重な財産を食いつぶすことなく、常にそれを維持しながら共存していたのです。

しかし、工業化が本格化し、石油などの天然鉱物資源が大量に消費され、地球の生態系が破壊される一方、人々に栄養がゆきわたり、医療が進むにつれて人口が爆発的に増えました。その結果、地球が自身の環境や生態系を復元する能力をはるかに超える巨大な人類の経済活動が地球をむしばみはじめました。

地球温暖化やオゾン層の破壊、酸性雨の問題など、このまま突き進めば、地球の資産は食いつぶされ、人類がほどなく正常な生活を営めなくなることは確実です。

これまで、マーケットメカニズムは、環境に対して無力でした。清浄《せいじよう》な空気、水といった貴重な資源にまともな値段をつけないでやってきました。もともと空気や水はタダなんだという感覚でこれらの資源を浪費してきました。しかし、今やきれいな空気やきれいな水は貴重な資源であり、それを使用する権利に対して適切な値段をつけることが、これらの貴重な資源の浪費をくい止めるうえで不可欠になってきました。

地球の環境をこれ以上劣化させないために、水や空気に対していくらの値段をつければよいのか。これはこれからの人類の非常に大きな研究課題です。水や空気に適切な値段がつけば、企業はいかに水や空気の使用を節約しながら生産活動を行なうかということに懸命に努力するはずです。さまざまな技術が開発されて、地球環境にあまり負担をかけない活動がやがては主流を占めるようになるでしょう。

江戸時代のように、人間が普通の生活を営みながら、なおかつ環境がいつもきれいに復元されているという状態をつくり出すことが私たちの一大目標です。ただし、江戸時代のように、人口を3000万人に減らすことは不可能です。人口は1億2500万人だけれども、そして、生活水準は江戸時代よりもずっと高いけれども、地球環境は破壊されていないという状態をつくり出すこと。これが21世紀の私たちの大きな目標でなければなりません。

排気ガスを出さない、燃費のきわめてよい燃料電池で走る自動車。完全リサイクル可能な家電製品。地球への自然復元がむずかしいプラスチックなどから、自然の土に還元していくバイオ技術を使った新素材。21世紀の地球環境が守られるためには、このような新技術が次々に生まれてくる必要があるでしょう。

世界中の国が協力して、地球環境という貴重な財産がこれ以上むしばまれることのないような仕組みをつくりあげることこそ、21世紀の最大の仕事になるはずです。

1997年秋、京都で開かれた「地球環境問題国際会議」はなかなかシンボリックな会議でした。外部不経済にあたる二酸化炭素（CO_2）排出権（これは水や空気を使用する権利と考えてよいでしょう）を、何とかマーケットで取引できないかという問題が議題になったのです。マーケット取引によって、CO_2排出権に十分高い価格がつけば、世界中の企業が猛烈にCO_2の排出を節約する技術開発競争が起こることでしょう。

もちろん、マーケットメカニズムだけで地球環境問題が解決されると考えることはまちがいです。これは先進国と発展途上国の利害調整の問題ひとつを考えても明らかです。先進国は途上国に対して「人口爆発を止めてほしい」「経済成長率はほどほどにとどめておいてほしい」「公害のたくさん出る工場を閉鎖してほしい」などという要求を出しますが、途上国は先進国のように工業化を成功させて、生活水準を引き上げるのに必死ですから、先進国のそんな要求には耳を傾けようとはしないでしょう。途上国が満足できるような条件を模索することは、先進国の宿題です。

いずれにしてもまず、大急ぎでやらなければならないのは、地球環境をこれ以上悪化させないために、地球全体で排出されるCO_2はどのくらいの量に制限すべきかということを国際的な科学者のチームをつくって測定することです。そうやって計算されたCO_2の排出権を各国に（たとえば、人口比率に従って）分配したうえで、それをマーケットで取引できるようにするのです。

このようにすれば、各国はできるだけCO_2を排出しないことを目標にするようになるでしょう。国によっては、CO_2排出権を「輸出」することで、生活水準を維持しようとするかもしれません。先に述べたように、CO_2を排出しない技術の開発も進められるはずです。ここでも、CO_2排出権に対する価格づけをつうじて、マーケットメカニズムが重要な役割を果たすことは十分に予想できるのです。

＊　＊　＊

最後まで投げ出さないで、ここまで『痛快！経済学』を読み進まれた読者に心から乾杯！　21世紀に求められる人物が、マーケットのもつ本当の意味を熟知した、この本の読者のなかから生まれてくることを私は心から念願しています。

マーケットメカニズムを我が手の中の宇宙とした私たちは、もうロビンソン・クルーソーでもコロンブスでもなく、21世紀に広がるグローバルエコノミーの大海のまっただ中へ、大手を振って乗り出していけるのです。

文庫版あとがき

経済に全くの素人でも経済学のエッセンスがわかるようになりたい。日本経済新聞などの難解な経済記事を理解できるようになりたい。なぜなら、現代ほど、経済学の基本がわかっていないと日常の生活や仕事に困る時代はないから……。

こんな想いを抱く読者を対象に、『痛快！ 経済学』を書いてから早くも3年が経過しました。

『痛快！ 経済学』の原本は読者の経済アレルギーを緩和すべく、本宮ひろ志さんの「サラリーマン金太郎」、東海林さだおさんの「タンマ君」などの漫画をふんだんに使わせていただくなど、書店で読者が手に取りやすい様々な工夫を凝らしました。経済書としてはこれまでなかった思い切ったことをやったわけです。

幸いなことに、これが受けました。『痛快！ 経済学』は1999年度、ビジネス書年間ベストセラー第1位になるほど、幅広い読者にご愛読いただけたのです。著者としてこれほどうれしいことはありません。

なぜ『痛快！ 経済学』がこれほどまでに売れたのか。もちろん、ひとつには、漫画をふんだんに取り入れるというユニークな発想があったからでしょう。

しかし、この不況下、それだけで30万部も売れるとは思えません。私は、やはり、「経済を知らないと、世の中がわからない」と日頃から感じておられる読者が大勢いらっしゃったことが大きかったと思います。

また、自画自賛で恐縮ですが、中学生や高校生、全くの経済の素人と自認する方々にも経済学的なものの見方が自然に身につくように、という著者の熱い思いを読者の皆様に感じていただけた結果ではないかと自負しています。

10歳の少年から85歳のおばあさんまで、じつに多くの感想文をお寄せいただきました。

「漫画が載っているので、いい加減な本かと思っていましたが、とんでもない誤解でした」

「この時代をどういう視点で眺めたらよいのか、よくわかったような気がします」

「これから、どう生きていったらよいのか、考えさせられる本でした」

本当にありがたい言葉の数々でした。

今回、文庫本にしていただけるということで、『痛快！経済学』を始めから終わりまでじっくり読み返しました。この３年間で、日本経済もずいぶん変化しているため、事実関係などについてはかなりの加筆修正を施しました。しかし、経済を見る眼、市場経済への考え方など、ものの見方、考え方の部分についてはいささかも修正の必要がなかったように思います。漫画などは削除されていますが、本書の本質を損なうものではありませんし、読者によってはかえって読みやすいかもしれません。

現下の日本では、小泉首相が国民の支持を背景に「抵抗勢力」と戦いながら、構造改革に邁進《まいしん》しています。小泉首相は

「構造改革なくして景気回復なし」というスローガンで、国民の支持を獲得しました。他方、「景気対策なくして構造改革なし」というまったく反対の議論を展開するエコノミストや政治家も大勢います。いったいどちらが正しいのでしょうか。

本書をお読みいただくと、こういった論争に対して、読者一人ひとりが自分の意見を持てるようになると思います。とくに、「なぜ小泉改革が必要不可欠なのか」ということについて、「好き」「嫌い」を超えた理解が得られるものと確信しております。なぜなら、本書の大きな目的が、読者に「マーケットメカニズムの本質」をしっかりとご理解いただくことにあるからです。いうまでもなく、構造改革とは「いかにマーケットをうまく活用するか」を模索する努力にほかならないわけで、その意味で、構造改革の意義を理解するということは、じつはマーケットメカニズムの本質を理解することと同じことなのです。

本書は、日本経済がもう一度元気になるためには何が必要なのか、どういう考え方が重要なのか、そういったことを念頭に置きながら、経済学のエッセンスが身につくように書かれています。興味のある方はぜひご一読いただきたいと念願しております。とくに、大学の教養課程で、経済学の基本を勉強したいと考えている大学生や、経済学の基礎を勉強することで世の中の動きを正確に理解したいという社会人にはぴったりの本だと思っています。

21世紀の日本経済はどうなっていくのでしょうか。もう、日本が光り輝く時代はやってこないのでしょうか。大変心配ですが、日本がもう一度、元気いっぱいの素晴らしい国になるためにともに頑張ろうではありませんか。しょせん、社会は個人の集合体に過ぎません。日本人一人ひとりが自覚し、一人ひとりが光り輝く存在になれば、日本という国は自然と光を放つようになるのではないでしょうか。

2001年師走

中谷　巌

語　注

〔第１章〕

P22　**リスク**　将来が不確実で、何が起きるか正確には予測できない場合になされる決断には「リスク」(失敗の危険) がともなうという。一般に、リスクが高いときほど失敗の確率は高いが、成功すれば収益は高くなる。

P24　**ダニエル・デフォー**　Daniel Defoe　1660–1731。イギリス、ロンドン生まれ。小説家・ジャーナリスト。1704年、個人紙「レビュー」を創刊、10年にわたり論説に従事するかたわら、政治にも関わる。彼の代表作である小説『ロビンソン・クルーソー』は1719年に刊行され、同年に続編が出るほどの好評を得た。デフォーは、それ以後散文作品を多く世に出した。ほかに『モル・フランダーズ』(1722) や『ロクサナ』(1724) など自伝形式の著書がある。

〔第２章〕

P55　**ヴィルフレド・パレート**　Vilfredo Pareto　1848–1923。イタリアの経済学者・社会学者。1893年スイス、ローザンヌ大学教授、経済学でローザンヌ学派の重鎮。均衡モデルの数量化に成功、社会学にもその理論を応用し、アメリカの社会学界にも影響を与えた。「パレート最適」という言葉の生みの親。

P56　**アダム・スミス**　Adam Smith　1723–90。スコットランド生まれ、オックスフォード大卒。イギリスの哲学者・経済学者。1759年、『道徳感情論』で名声を得る。執筆に10年を費やしたといわれる『国富論』(1776) は市民社会の経済構造を初めて体系化したものとされ、後世の学界や社会に多大な影響を与えつづけている。

P62　**公定価格**　日本では第２次世界大戦前後の困窮期、公定価格が付けられた商品が多く見られ、その値札には㊮ (マル公とよばれた) の印が書かれたのです。

〔第３章〕

P69　**共産党独裁**　もはや、誰でもが風前の灯火とみなす社会主義国では、一般大衆による選挙はなく、共産党だけが政権をになう。階級を否定する思想が元来の共産主義だったはずなのに、一党だけがピラミッドの頂点に君臨する。

P69　**経済特区**　マーケットが存在しなかった社会主義国たる中国に、ある特定地域にのみ市場経済を導入したが、これが人々のやる気を刺激して大成功した。

P69　**私有財産**　自分で手に入れた財産はおれのもの、って常識が通用しないところがあったのです。

P70　**ベルリンの壁崩壊・ソビエト連邦崩壊**　1961年８月、当時の東ドイツ政府は、突如として首都ベルリンを二分する形で壁を築いた。東独から西独への亡命を防ぐためという名目だったが、東西冷戦の象徴とみなされた。しかし、民主主義的改革の波に押され、1989年11月、東独政府はその壁を開放、翌90年10月にドイツは統一された。

民主的な改革は、1985年にゴルバチョフがソ連の書記長となったときから草の根的に東欧に広がった。ソ連国内でも各共和国の自治権要求が強まり、連邦から次々と離脱。1991年12月、独立国家共同体（CIS）の結成とともにソ連は消滅した。

P75　**体制批判**　その昔、中国の指導者・毛沢東は「造反有理」とうまいことをいった。極端にいって、体制転覆は若者の当然の行動という意味。でもなあ、体制を批判するものが、体制内にヌクヌクといたりするからややこしい。

P75　**イデオロギー**　特定の主義主張を意味するドイツ語。英語では、アイデオロジーと発音。なんで、ドイツ語なんだ？　昔は、そのほうがイカしたのだね。

P76　**ズビグネフ・ブレジンスキー**　Zbigniew Brzezinski　1928–。アメリカの政治学者。ポーランド、ワルシャワ生まれ。1938年アメリカに移住、58年帰化。共産圏問題研究家として62年コロンビア大教授、国務省顧問。77—81年、カーター大統領のもとで国家安全保障問題担当特別補佐官。

P76　**ジミー・カーター**　James Earl Carter, Jr.通称Jimmy　1924–。第39代アメリカ大統領（在職77–81年）。70年ジョージア州知事、

76年民主党から大統領候補指名を得て、現職のフォードを破る。ワシントンに新風を送ったが、イランの米国大使館占拠事件でつまずいたあと、次第に人気を失った。

P76 **リチャード・ニクソン** Richard Milhous Nixon 1913–94。第37代アメリカ大統領（在職69–74年）。53年アイゼンハワー政権の副大統領に就任、60年共和党の大統領候補指名を得るも、民主党のケネディに敗れる。68年大統領当選。在職中、ベトナム戦争収拾に向かわさせ、国内では保護貿易主義的な経済政策を推進。73年ウォーターゲート事件発覚で、辞任に追い込まれた。

P76 **ヘンリー・キッシンジャー** Henry Alfred Kissinger 1923–。アメリカの政治学者・政治家。ドイツから38年、アメリカに移住。54年ハーバード大卒後、同大教授、ロックフェラーの外交問題顧問、ニクソン大統領の安全保障問題特別担当補佐官を経て、73年国務長官。

P76 **スターリン** Iosif Vissarionovich Stalin 1879–1953。ソ連の革命家・ボリシェビキ・政治家。グルジアの靴職人の子。チフリス神学校を中退後、早くから非合法組織を率い、職業的革命家となる。逮捕、流刑、脱走を繰り返したが、論文「マルクス主義と民族問題」でレーニンに認められる。10月革命のときは「プラウダ」紙の編集にあたっていた。1922年共産党書記長に就任。次々と政敵などを粛清し、全権力を掌握、大規模な個人崇拝を引き起こす。

P76 **ウラジミール・イリイチ・レーニン** Vladimir Iliich Lenin 1870–1924。ソ連の革命家・マルクス主義者・政治家。1887年、兄が皇帝暗殺計画の主犯として銃殺されたのち、カザン大で学生運動に投じ、退学。革命運動を組織して、1917年「10月革命」により帝政を崩壊、ソビエト政府を樹立。晩年は病に伏す。

P76 **レオニード・ブレジネフ** Leonid Iliich Brezhnev 1906–82。ソ連の政治家。15歳から働き、25歳で共産党入党。50年モルダビア党第一書記を経て、52年全ソ共産党中央委員。64年フルシチョフ失脚の後を襲い、党中央委第一書記となる。71年党大会で平和綱領を発表、いわゆる「ブレジネフ路線」をしき、冷戦体制を固定化した。

P76 **ミハエル・ゴルバチョフ** Mikhail Sergeevich Gorbachyov 1931–。ソ連の政治家。55年モスクワ大卒。85年チェルネンコの死去により書記長、88年最高会議幹部会議長。このころより「ペレストロイカ」とよばれる体制改革に着手、90年には大統領制をしき、初代大統領に就く。一連の改革により、ソ連は解体した。

P77 **フリードリッヒ・エンゲルス** Friedrich Engels 1820–95。ドイツの革命家・経済学者。42年「ライン新聞」でマルクスと知り合い、終生の交友を結ぶ。イギリスに亡命して、マルクスと再会、マルクスに財政的援助を惜しまなかった。マルクスとは、共同で『神聖家族』『ドイツ・イデオロギー』『共産党宣言』を執筆。マルクス主義の世界的な席捲は、エンゲルス抜きには語れない。

P77 **カール・マルクス** Karl Heinrich Marx 1818–83。ドイツの思想家・革命家・経済学者。富裕なユダヤ人弁護士の子として、ライン地方に生まれる。1847年共産主義者同盟に加わる。第2回大会で『共産党宣言』を起草。49年ロンドンに亡命し、永住する。盟友、エンゲルスの援助を受けながら、59年『経済学批判』を、67年『資本論』第1巻を出版。その遺稿はエンゲルスの手によってまとめられ、今日にいたる。その主張は、マルクス主義とよばれ、世界中の社会主義運動や革命、さらには経済学界に多大な影響を与えた。

P82 **ビル・ゲイツ** William Henry Gates 通称 Bill Gates 1955–。アメリカのシアトル生まれ。小学生のときからコンピュータに熱中し、15歳で友人と交通パターン調査会社を設立した。その後、ベーシック、ウィンドウズなどを開発した早熟の天才。

P82 **アメリカンドリーム** アメリカ人だけがもちえた一攫千金の夢。だから、外国人はこぞってアメリカ人になろうとした。

〔第4章〕

P89 **プレミアム** premium。割増金。賞金。報酬。

P94 **預金保険機構** 最初の発動は、バブル経済崩壊後の1992年、東邦相互銀行を吸収合併した伊予銀行への80億円融資。本来は加盟金融機関が支払う保険金でまかなわれるものだが、最近は破綻する銀行が増えたため、公的資金も入っている。

〔第５章〕

P116　**リー・アイアコッカ**　Lido Anthony Lee Iacocca　1924–。アメリカの実業家。46年フォード社に入社、60年事業部ゼネラル・マネジャー。「マスタング」を開発推進、ヒット商品とする。68年同社社長に就任。78年、フォードⅡ世と対立し、解任。同年クライスラー社社長となり、その再建を実現する。79年同社会長。93年同社顧問。アメリカビジネス界立志伝中のひとり。

P117　**シリコンバレー**　集積回路はシリコンを素材に用いる。アメリカのコンピュータ産業の集中地域は、地形がゆるい渓谷地帯であることからその呼び名がついた。シリコンの谷間……連想飛躍は勝手にせよ。ちなみに、日本では九州がシリコンアイランドと呼ばれている。

P120　**東インド会社**　17世紀初めイギリスやオランダ、フランスなどが東方貿易のために設立したもの。コロンブスらが到達した「西インド」とは区別し、アジア南部から東南部一帯を営業範囲とした。このうち、オランダの東インド会社は、連邦議会からあたかも独立国家のように権限を与えられ、抗争ののちにイギリスやポルトガルを駆逐、頂点に立ったものとして有名。しかし、1800年に解散。

P122　**東証**　東京証券取引所の略。日本の上場株の７割以上が取引される日本最大の取引所。東京都中央区日本橋兜町にある。1878（明治11）年設立の東京株式取引所が前身。バブル全盛期には、ニューヨーク、ロンドンに並ぶ世界三大市場とよばれたことがある。

〔第６章〕

P129　**ハイブリッドカー**　ハイブリッド（hybrid）とは、混成物の意。ここでは、エンジンと電気モーターを動力源とするクルマのこと。

P140　**知的所有権**　アイデアとか発明など目に見えない財産に所有権を認めようと法の整備が急速に進められている。知的所有権を担保（！）とする動きもあって、これまた面白くなりそうです。

〔第８章〕

P181　**ミルトン・フリードマン**　Milton Friedman　1912–　。フリードマンの“先生”が、フリードリヒ・ハイエク。20世紀で最も徹底した自由主義経済学者。

〔第９章〕

P194　**関東大震災**　1923（大正12）年９月１日午前11時58分、関東地方を襲ったマグニチュード7.9の大地震。昼食時でもあり火災が広く起こり、被災者340万人、死者・行方不明約14万人という大災害となった。政府は復興にあたり、30日間の支払猶予令（モラトリアム）を施行、また震災手形割引損失補償令を発した。しかし、手形の多くが回収不能となり、1927年の金融恐慌の直接的原因となった。

P194　**ジョン・メイナード・ケインズ**　Sir John Maynard Keynes　1883–1946。父子２代にわたる経済学者。1905年ケンブリッジ大数学科卒後、08年までインド省に勤務した。

P201　**フランクリン・ルーズベルト**　Franklin Delano Roosevelt　1882–1945。アメリカ第32代大統領（在職1933–45年）。ニューヨーク生まれ、ハーバード大卒。29年ニューヨーク州知事、32年大統領選で当選。以後、病気で退くまで、史上初の４選を果たす。大恐慌時に就任するや、ニューディール政策を実行し、経済の再活性化を誘導した。

P201　**ニューディール政策**　カードゲームで“一勝負”をdealという。一般には分け与えるの意味。ルーズベルト大統領にとっては、新たな勝負に出たというところか。

P208　**スタンフォード大学**　カリフォルニア州はシリコンバレーにあるアメリカ有数の私立大学。1885年創立。東海岸のIVYリーグに並ぶ西海岸の雄。シリコンバレーの隆盛に中核的役割を果たしている。

P209　**キューバ**　アメリカの一大リゾートであったキューバで、1959年カストロによる共産革命が成功、60年には米系資産の国有化を実施した。アメリカの経済封鎖に対抗して、ソ連は1962年キューバにミサイル基地を建設した。当時の米大統領ケネディは直ちに撤去を要求、米ソは一触即発の危機に陥った。ソ連はついに折れ、世界大戦の危機は一応去った。

P209　**ベトナム**　フランスの植民政策から自主独立せんと、北ベトナムのホー・チ・ミンらによる対仏戦闘が激しくなり、フランスはベトナムから撤退。それに代わって、アメリカが南ベトナム政権を支持して軍事顧問団を派遣、共産勢力は1962年南ベトナム民族解放戦線（ベトコン）を結成、ゲリラ戦が頻発した。65年アメリカは海兵隊を投入、本格的な介入をする。ベトコン勢力はやがて北ベトナム正規軍に同化し、アメリカおよび南ベトナム軍を駆逐、アメリカは史上初の敗北を喫した。

P209　**ロナルド・レーガン**　Ronald Reagan　1911–。アメリカの映画俳優・政治家。第40代大統領（在職81–89年）。ラジオ局のスポーツキャスター、ハリウッドの映画俳優を経て、62年共和党に入る。66年、カリフォルニア州知事、81年大統領に当選。在職中、大幅な減税を実施するなどいわゆるレーガノミックスを断行。現代アメリカ経済再生に貢献した。

P209　**マーガレット・サッチャー**　Margaret Hilda Thatcher　1925–。イギリスの政治家。75年保守党党首、79年イギリス初の女性首相となる。強硬な保守主義をもとに、「小さな政府」「規制緩和」などの政策をとり、停滞気味だった同国経済を活性化させた。

〔第10章〕

P213　**コロンブス**　Christophorus Columbus　1451–1506。15世紀の大航海時代の探検家・植民地行政官。イタリア、ジェノバ生まれ。最初、ポルトガル王に大西洋航海を願い出るが断られ、スペインにいき、イザベル女王に登用された。1492年第1回航海でハイチまで到達。彼は終生、そこがインドだと信じた。

P224　**デヴィッド・リカード**　David Ricardo　1772–1823。イギリスの経済学者。アダム・スミスとともに古典派経済学の重鎮。スミスの労働価値説を徹底させた。また、地主・資本家・労働者各階級の利害対立を理論化し、のちのマルクスにも影響を与えた。

〔第11章〕

P241　**マクロ経済**　ケインズの理論が世に出てから、急速にひろまった経済学。経済成長とかインフレーション、景気循環など経済全体を巨視的に見る。それに対するのが「ミクロ経済学」。こっちはマーケットメカニズムの研究が対象。

P245　**スハルト**　Suharto　1921-。第2次世界大戦後のインドネシアを代表する軍人・政治家。スカルノの後、1968年から長期にわたり独裁的統治をしいた。1998年、失脚。巨万の富を海外に蓄えているとの話が伝わる。

P246　**モハマド・マハティール**　Mohamad Mahathir　1925-。マレーシアの政治家。マラヤ大卒。医学博士。64年国会議員に初当選、65—69年統一マラヤ国民組織（UMNO）最高評議会委員。81年UMNO総裁、第4代首相に就任。日本や韓国に学べという「ルック・イースト」政策で、経済成長を促した。奇跡的な成長ぶりにより、マハティールの国際的発言力は増したが、最近は大不況にあい、苦闘がつづいている。

〔第12章〕

P252　**ニュートン**　Sir Isaac Newton　1642-1727。イギリスの物理学者。生涯を独身で通した。万有引力の法則がひらめいたとされる、リンゴ落下のエピソードはどうやら神話らしいぞ。

P255　**イラクによるクウェート侵攻**　湾岸戦争は1990年8月2日に始まり、戦闘行為自体は同28日に終わった。しかし、この“ハイテク戦争”の歴史的意味は年を経るごとに重要性を増すはず。今後、そんな話が確実に増えるぞ。

P266　**地球温暖化**　二酸化炭素排出により、地球全体で温室効果が起こる。国連の調査によると、何も対策をとらねば、21世紀末に地球の平均気温は2度上昇、海水の水位も50センチ上がる。わが家も床下浸水、なんてのんきなこと言ってらんない。

P266　**酸性雨**　雨が発生するさい、大気に混じったチッソ酸化物やイオウ酸化物がそれに溶け込み、降ってくる。その濃度が増せば自然が破壊されるのだ。

中央省庁の新システム

2001年1月6日から中央省庁は従来の1府21省庁から1府12省庁に再編されました。本書の原本はそれ以前に刊行されているため省庁名などは旧システムのものになっています。新システムについてはこのしおりをご参考にしていただければ幸いです。

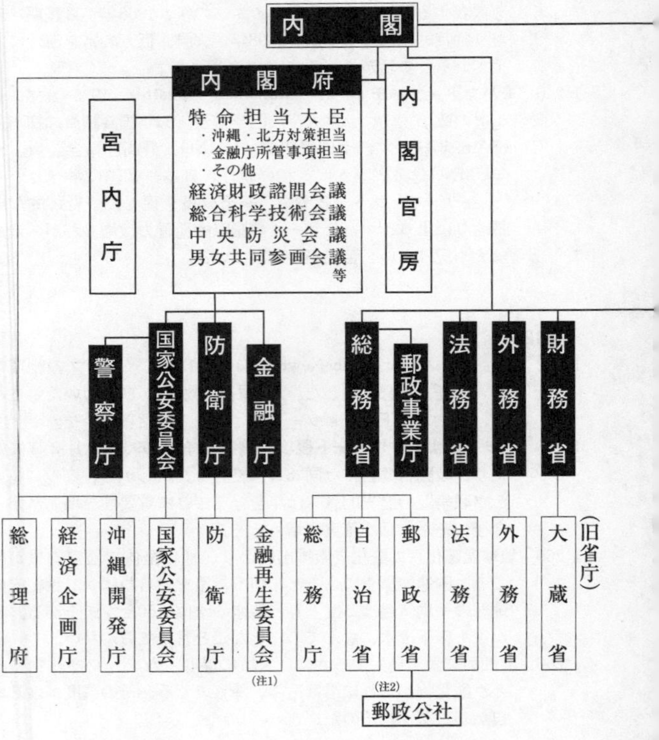

（注1）金融庁は平成12年7月設置、金融再生委員会は平成13年1月廃止。
（注2）郵政事業庁はその設置の2年後の属する年に郵政公社に移行。

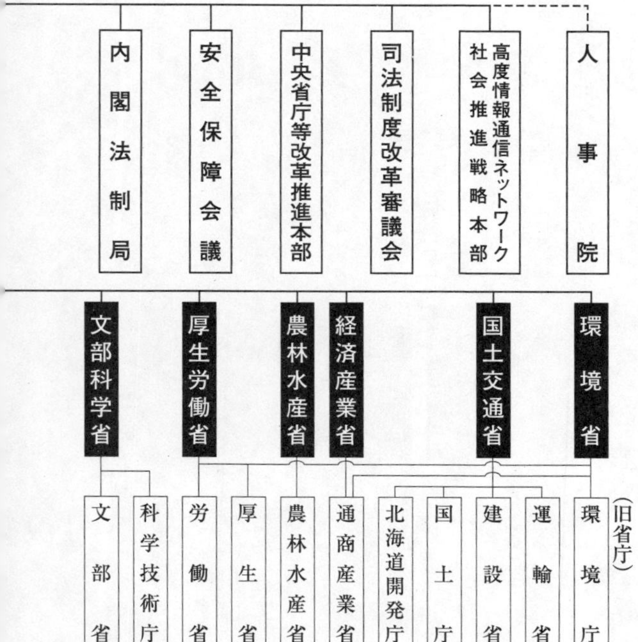

本書は1999年3月
㈱集英社インターナショナルより
刊行されました。

集英社文庫　目録（日本文学）

中上健次　軽蔑
永倉万治　晴れた空、そよぐ風
中沢けい　喫水
中沢けい　首都圏
中沢けい　楽譜帳
中島梓　美少年学入門
中島梓　マンガ青春記
中島梓　くたばれグルメ
中島敦　山月記・李陵
中島らも　恋は底ぢから
中島らも　獏の食べのこし
中島らも　お父さんのバックドロップ
中島らも　こらっ
中島らも　西方冗土
中島らも　ぷるぷる・ぴぃぷる
中島らも　愛をひっかけるための釘

中島らも　人体模型の夜
中島らも　ガダラの豚I～III
中島らも　僕に踏まれた町と僕が踏まれた町
中島らも　ビジネス・ナンセンス事典
中島らも　アマニタ・パンセリナ
中島らも　水に似た感情
中薗英助　密航定期便
中田耕治　ルクレツィア・ボルジア(上)(下)
中谷巌　痛快！経済学
長野まゆみ　上海少年
長野まゆみ　鳩《はと》の栖《すみか》
長野まゆみ　白昼堂々
中原中也　汚れつちまった悲しみに……——中原中也詩集
中原英臣・富家孝・大鐘稔彦　病の大陸
中原英臣　上手な医者のかかり方
中部銀次郎　もっと深く、もっと楽しく。

中部博　一〇〇〇馬力のエクスタシー
中村勘九郎　勘九郎とはずがたり
中村勘九郎　勘九郎ひとりがたり
中村勘九郎・他　中村屋三代記
中村真一郎　死の遍歴
中村紘子ほか　私の猫ものがたり
中村メイコ　オトコ通り八丁目
中山可穂　猫背の王子
中山可穂　天使の骨
中山ビーチャム　珍々発明
永山久夫　世界一の長寿食「和食」
なだいなだ　おっちょこちょ医
なだいなだ　しおれし花飾りのごとく
なだいなだ　カルテの余白
なだいなだ　鞄の中から出てきた話
なだいなだ　ボタン戦争

集英社文庫　目録（日本文学）

集英社文庫　目録（日本文学）

なだいなだ　娘の学校　同窓会
夏樹静子　影の鎖
夏樹静子　蒼ざめた告発
夏樹静子　第三の女
夏樹静子　アリバイのない女
夏樹静子　星の証言
夏樹静子　花の証言
夏樹静子　ひとすじの闇に
夏樹静子　遙かな坂(上)
夏樹静子　遙かな坂(下)
夏樹静子　雪の別離
夏樹静子　殺意
夏樹静子　懇切な遺書
夏樹静子　雲から贈る死
夏堀正元　北に燃える
夏目漱石　坊っちゃん
夏目漱石　三四郎
夏目漱石　こころ
夏目漱石　夢十夜・草枕
夏目漱石　吾輩は猫である(上)(下)
奈良裕明　チン・ドン・ジャン
楢山芙二夫　午前零時の星条旗
鳴海章　ゼロと呼ばれた男
鳴海章　ネオ・ゼロ
鳴海章　スーパー・ゼロ
鳴海章　ファイナル・ゼロ
鳴海章　闇の戦場
鳴海章　劫火　航空事故調査官
鳴海章　五十年目の零戦
鳴海章　凍《とう》夜《や》
南條竹則　満漢全席
南条範夫　古城物語
南条範夫　続・古城物語
南条範夫　抛《なげ》銀《がね》商人
南原幹雄　鴻池一族の野望
南原幹雄　暗殺者の神話
南原幹雄　闇と影の百年戦争
南原幹雄　幕末おんな恋歌
南原幹雄　灼熱の要塞
仁川高丸　微熱狼少女
仁川高丸　キ・ス
ニコル　ぼくのワイルド・ライフ
ニコル　ニコルの青春記
西川勢津子　「お肌の曲がり角」からUターン
西木正明　ふりかえれば、サバンナ
西木正明　凍れる花火
西木正明　標的
西村京太郎　血ぞめの試走車

集英社文庫

痛快《つうかい》! 経済学《けいざいがく》

2002年 1 月25日　第 1 刷
2002年 3 月13日　第 3 刷

定価はカバーに表示してあります。

著　者　中《なか》　谷《たに》　巌《いわお》

発行者　谷　山　尚　義

発行所　株式会社　集　英　社
東京都千代田区一ツ橋2—5—10
〒101-8050
電話　03（3230）6095（編集）
　　　03（3230）6393（販売）
　　　03（3230）6080（制作）

印　刷　凸版印刷株式会社
製　本　凸版印刷株式会社

ISBN4-08-747407-0 C0195